JN306301

の楔①

吉原理恵子

キャラ文庫

この作品はフィクションです。
実在の人物・団体・事件などにはいっさい関係ありません。

目次

口絵・本文イラスト／長門サイチ

＊＊＊＊1

あたり一面、闇《やみ》だった。

だが。不安に駆られて居たたまれなくなるような、絶対の暗闇ではない。物の輪郭がわかる程度に絞り込まれた暗さだった。

静か——だった。

常時《オール・シーズン》、快適に過ごせるようにプログラムされたエアー・コンディショナーは、こそともしない。

けれども。室内の空気は、ユラユラと揺らめいていた。均一ではない闇の濃淡を知らしめるように。

それは、細く立ち上がる陽炎《かげろう》のようでもあり。

あるいは——闇に沈む氷塊《ひょうかい》の、どんよりとした潤みのようでもあった。

そのとき。

不意に。

部屋の中央に据《す》えられたベッドで、かすかに、シーツの擦《こす》れる音がした。

沈黙の淵《ふち》で微熱の細波《さざなみ》が立つように、影は小刻みに揺れ動く。

右に。

——左に。

もぞもぞと蠢《うごめ》いては、突然、引き攣《つ》ったように硬直した。

目が冴《さ》えて眠れない苛立《いらだ》たしさに、繰り返し何度も寝返りを打っているのか。

それとも。

悪夢にでもうなされているのか。

いや。

そうではない。

彼は——寝ているのではなく、起き上がれないのだ。

両の手首はひとつに括《くく》られ、頭上でしっかり固定されていた。

伸びきった腕はかすかに震え。自由にならないもどかしさを咬《か》み締めているのか、拳《こぶし》はきつく握りしめたままだ。

しかし。

何が何でも、

『自由になってやるんだッ！』

——という気概を込めて、しゃにむに足搔《あが》いているようには見えなかった。

あきらめているのか。

それとも。もがき疲れただけ、なのか。

その表情までは読み取れない。

ただ。

ときおり。その唇の端から、

「…う…ううう……」

堪《こら》えきれないような低い呻《うめ》き声が洩《も》れた。

自由にならない身体を捩《ね》じ曲げ、身の内から突き上げる抗《あらが》いがたい何かを、必死に歯を食いしばって耐えているかのような……。そんな、悲痛な響きがあった。

もっとも。その声音の底には、聴く者の耳に甘い吐息を吹きかけずにはおかない、ひどく淫《みだ》らな色香を滲《にじ》ませてもいたが。

（――ちく……しょ…お……。く…そッ、たれ……が…ぁ……）

迫《せ》り上がる鼓動の荒さに喉《のど》を灼《や》き、震える吐息に唇をわななかせながら、彼は口の中で何度も毒づく。

そうやって繰り返す呪詛《じゅそ》が膿《う》み、どろどろに蕩《とろ》けて自身を苛《さいな》む劇薬になることを知りながら、それでも彼は、毒口《どくぐち》をやめられなかった。

（…いッ！　――くっ…そ…ォ……）

擦り切れかかった意地もプライドもかなぐり捨て、恥も外聞もなく泣き出してしまいそうなもう一人の自分を叱咤《しった》しつつ、彼は血が滲むほどきつく唇を噛《か》み締める。

どんな罵声《ばせい》を張り上げても、誰の耳にも届かない。

たとえ声を限りに哀願しても、誰も聞いてはくれない。

彼が繋《つな》がれたこの部屋は、調度品の豪華さとは裏腹の、そんな寒々しささえ孕《はら》んだ俘囚《ふしゅう》の檻《おり》だった。

射精神経《かいらく》を刺激する薬を打たれて、いったい……どのくらいの時が過ぎたのか。

彼にはもう、時間の観念すら摑《つか》めない。

それは。ほんの十分前のことのようでもあり。あるいは——あれから、ゆうに一時間は経ってしまったようにも思えて、ジクジクと頭の芯《しん》まで疼《うず》いた。

内股の筋が痛いくらいに張って、ときおり、爪先までもがヒクヒクと痙攣《けいれん》を起こす。

乱れた吐息は掠《かす》れ、しきりに、喉の渇きを誘ってやまない。

まして。腰が鈍く痺《しび》れるほどに熱くいきり勃《た》った分身《もの》は、血管を喰《く》い破らんばかりに荒れ狂っているのだった。

排《い》出きたいッ！

我慢——できないッ！

身を捩《よじ》り。太股《ふともも》を擦り合わせ。彼は、ただひたすら身悶《みもだ》える。

溜《た》まりに溜まったモノを派手にブチまけたくて、視界さえもが真っ赤に翳《かす》む。

もう……気が狂いそうだった。

背骨が軋《きし》るような快感は、後から後から瘧《おこり》のように襲ってくる。

——なのに。

根元を締めつけるリングに阻まれて、ただの一度も射精できずにいた。

——何度も。

半ば無意識に。

引き攣る唇を噛んで、彼は吐き捨てる。

(——く…そォ……)

同じ言葉だけを繰り返す。それ以外、吐息も灼けつくような責め苦から逃れる術《すべ》を知らなくて。

(くそ……。くっ…そーッ……)

そのとき。

部屋のドアが右から左へと、軽やかにスライドした。

だが、彼は。身体を芯から焦がす狂気にのみ気を取られ、男が入ってきたことにも気がつかなかった。

男が、ゆったりした足取りで歩み寄ってくる。あたかも、毛足の長い絨緞《カーペット》が男の気配そのものを吸い取ってしまったかのような、優雅でしなやかな身のこなしであった。

無言のまま、男が、ベッドの脇《わき》にあるスイッチに軽くふれた。

すると。

間髪を置かず、部屋は柔らかな光で満たされた。

それでも。闇の檻に囚《とら》われていた彼の目には十二分にまばゆく、とっさに細めた目が室内の明かりに慣れるまで、しばしの時間を要した。

そうして。そこに秀麗《しゅうれい》な、だが、脆弱《ぜいじゃく》な甘さなど微塵《みじん》も感じさせない男の怜悧《れいり》な美貌《びぼう》を見て取ると、彼は、思わず——涙ぐんだ。

男の顔を目にした瞬間。限界まで張り詰めた意地も忍耐も、不意にたわんでしまったかのようだった。

「どうだ? 少しは、こたえたか?」

冷然とした男の美貌を更に際立たせるような、クール・ボイスだった。聴く者を威圧せずにはおかない一種独特の声の張りは、命令することに慣れきった酷薄さすら感じさせた。

「も……か、かんべん、してく……れ、よ……」

身体を捩り、涙に咽《むせ》びながら、彼は哀願した。

それでも。

男は、眉《まゆ》ひとつ動かさない。

「ほかの奴らと上手《うま》くやれとは言ったが、雌《オンナ》の尻《しり》に乗れとは言わなかったぞ」

淡々とした口調とは裏腹の、底冷えのする目つきだった。

「ミメアを娶《めと》る雄《オトコ》がいることくらい、知っていたはずだろう? おまえが何もかも台無しにしてくれたと、ラウールが咬みついてきた。これくらい——当然の罰だろうが」

声も荒げず吐き捨てられた言葉の酷薄さに、彼は、ヒクリと息を呑《の》む。

「おまえだって、まさか本気で、ミメアを取れる——などと自惚《うぬぼ》れていたわけではなかろう？　ならば——ただの火遊びにも、それなりのルールがあって然《しか》るべきだ。そうではないか？」

——刹那《せつな》。

男の背後から、思いもかけない甲高い女の声が貫いた。

「遊びじゃないわッ！」

その声に弾《はじ》かれるように、彼は、ビクンッ…と身を竦《すく》めた。

そして。

そこに。

人目を忍んで逢瀬《おうせ》を重ねたミメアの顔を見い出し、呆然《ぼうぜん》と目を瞠《みは》った。

「おまえに会わせろと言って、きかないのでな。『恋は盲目』……とは、よく言ったものだ。おまえたちには選ぶ権利などないということが、わからないらしい。だから——おまえの口から、はっきり言ってやるんだな」

何を？

——と。無言で問い返す彼の双眸《め》が、不安におののいていた。

あるいは。次に吐き出される男の言葉を、漠然とではあるが、すでに予期していたのかもしれない。

「本気ではなかった……。相手は、別に、ミメアでなくてもよかった。興味があったのは『雌《めす》』の身体だけ……」

その瞬間。

彼の背をゾクリと這《は》い上がるものがあった。

それは……。膿《う》み爛《ただ》れた快楽の震えではなく、もっと、ずっと昏《くら》い絶望に似ていた。

「昂《たか》ぶる雄の熱い疼きを鎮めてくれる肉襞《もの》さえあれば、誰でもかまわなかった——そうだな？」

決して『否《いな》ッ！』——とは言わせない。恫喝《どうかつ》めいたその音声の低さに射竦《いすく》められて頬《ほお》が強《こわ》ばり、彼は凍りついたままの吐息をぎくしゃくと呑んで嚥下《えんか》した。

だが。

彼が引き攣った唇を更にわななかせるより先に、

「そんなこと、嘘よッ。皆で寄ってたかって、あなたとわたしの仲を引き裂こうとしてるのよッ」

恋する少女は語気を強めて、憎々しげに男を睨《にら》んだ。

ミメアにとって、男は、すべての権力の象徴というよりはむしろ、愛する彼を思いのままに束縛することのできる、唯一の恋敵であった。それゆえに、

「ラウールさまがわたしの相手に誰を選んだか……知ってる？　ジェナよ。血筋が良いからですって……」

かすかに震える言葉尻《じり》は、切羽詰まった激情を生まずにはおかない。

「わたしは、イヤよッ！　あんな、顔だけが取り柄の色情狂なんかッ。あいつに抱かれて子どもを産まされるのかと思うと、吐き気がするわッ！」

女としての矜持《プライド》が、それを許さない——とでも言いたげに。

そうして。その、同じ口ですがる。

「あなたは、ほかの人とは違うわよね？　好きなのは、わたしだけよね？」

切ないほどの情愛を込めて。

しかし。

そんなミメアの言葉の半分も、彼の耳には届いていなかった。

間断なく突き上げるものを悟られまいと身を捩り、呻き声を咬み殺すだけで——彼は精一杯だったのだ。

ミメアは。彼が、自分との密会が露見して手酷《てひど》く折檻《せっかん》されている——としか聞かされていなかった。

彼との秘め事が公になったとき。仲間内の誰もが、嘲《あざけ》るように口を揃《そろ》えて、

『分不相応に、アカデミー産に手を出したあいつが悪い』

そう言った。

ミメア自身、

『あんなクズにコロリと引っかかるなんて、男を見る目がない』

そんなふうに、あからさまな陰口を叩《たた》かれていることもわかっていた。

誰もが羨《うらや》む『アカデミー』産出の自分と、生まれも育ちも最低劣悪な——彼。

だが、ミメアは知っている。

絶え間のない嘲笑《ちょうしょう》の陰で。

公然とした侮蔑《ぶべつ》のその裏で。

そして、露悪的な視線の先で。

誰もが皆、彼の特異な存在感をヒシヒシと感じ取っていたことを。

出自の優劣でも。

容貌の美醜でも。

肩書きの有無でもない。

彼は、その希有《けう》なる存在感でもってのみ人を魅《ひ》くのだ。善くも悪くも。今の今まで、不変だと信じ込まされてきた己のアイデンティティーを容赦なく痛打するほどに。

彼と出会って、ミメアは初めて知ったのだ。

隔離された日常の欺瞞《ぎまん》を。

絶対の領分の虚飾を。

そして、内封された魂《いのち》の輝きを。

仲間内で一番『綺麗《きれい》』なのは、彼だけだった。

あからさまな陰口にも。

ドス黒い嫉妬《しっと》にも。

陰湿な行為にも。

彼は決して染まらない。

彼の言動は極めて粗暴だったが。

群れることを良しとしない性格は協調性の欠片《かけら》もなかったが。

それでも。ある意味。彼だけが、唯一『純潔』なのだった。

だから——ミメアはどうしても、彼が欲しかった。

同じ籠《かご》の中の鳥でも、彼と番《つが》うことができれば、そこから新しい何かが始まる。そう、思ったのだ。

だから。自分から誘った。

キスをねだり、抱擁《ほうよう》をせがみ、身体を繋いでひとつになることを切に望んだ。

そうすれば、彼は自分だけのものになる。そんな、甘くて脆《もろ》い夢を見ていた。

なのに。

ほんの数日前までは、ぶっきらぼうだが誰よりもやさしい眼差しを向けてくれた彼が、今は顔を背けたきり何の弁解もしようとしない。ミメアにとって、それは、何よりも耐えがたいことだった。

彼の沈黙は、言葉にならない不安をいだかせる。

「どうして、黙っているの?」

そうして。

今更のように、見たくもない現実を突きつける。透明な鎖に繋がれた己の存在価値がどこにあるのかを。否応なく……。

千々に乱れる想いに胸は痛み、たまらず、ミメアはヒステリックに叫んだ。

「なぜ、わたしを見てくれないのッ！　何とか……言ってちょうだいッ！」

それでも。彼がチラリとも視線を寄越さないと知るや、柳眉《りゅうび》を逆立て、キリキリと紅唇を嚙み締めた。

男の言葉に弁解さえしようとしない彼の背中に、突然、思いもしない裏切りの醜さを見せつけられたような気がしたのだ。

憤怒の果てに言葉も涸《か》れる――そういう目つきだった。

（――終わりだな）

男が胸の内でそうつぶやいた刹那、

「卑怯《ひきょう》者ッ！」

絶叫に近い罵倒《ばとう》が、ミメアの口を突いた。

そうして、彼は。

その瞬間。

鋲《びょう》を打った鞭《ムチ》で思うさま背中を引き裂かれたような気がして、いっそうきつく唇を嚙んだ。

歯列を割って滲み出る――苦汁。

それはチクチクと喉に絡む棘《とげ》となり、猛毒の灼熱感《しゃくねつ》をともなって彼の胸を灼いた。

そうやって、四肢を強ばらせたまま必死に咬み殺しているのが喘《あえ》ぎの音なのか、嗚咽《おえつ》なのか。たぶん、彼にもわからなかったに違いない。

そんな彼の背中越し、ミメアはわなわなと唇を震わせると、そのまま、くるりと背を向けた。

「これで、おまえも懲《こ》りただろう?」

脱兎《だっと》の勢いでミメアがドアの向こうへ吸い込まれていくのを見届けてから、男はゆっくり、ベッドの端に腰掛けた。

「まぁ、どのみち、初めからわかりきった結末だったがな……」

平然と囁《ささや》きながら、上掛けごとブランケットを剝《は》ぎ取る。

『雄』と呼ぶには、まだ青臭さの抜けきらない彼の裸体がそこにあった。それでも。荒削りながら均整のとれた肢体はしなやかで、過酷なほどの快楽に身悶えする様は、妙に男の嗜虐性《しぎゃく》をかき立てずにはおかなかった。

男は、じっくりと視線を這わせた。

冷たく冴えた双瞳には、感情の昂ぶりも鼓動の乱れもない。ただ、酷薄とも思える視線が彼の股間《こかん》に落ちた瞬間にだけ、わずかに翳《かげ》った。

猛《たけ》り狂った彼の《牡《ペニス》》が、そこで、硬く頭をもたげて絶叫している。

排《い》出きたいッ!

射精《いか》せてくれッ!

——と。

「いかせて欲しいか?」

誘いかけるように、男が囁いた。

わななく唇で吐息を咬んで。

潤んだ瞳で哀願するように。

彼はぎこちなく、だが、幾度も強く頷《うなず》いた。

男の手が無造作に膝《ひざ》を割る。

彼は、ひとつ大きく息を呑んだ。これで、ようやく、この気が狂いそうな責め苦から解放されるのだと思った。

しかし。

男はそんな彼の短慮を嘲笑うかのように、弾けんばかりにしなりきったペニスには目もくれず、左の膝裏を掬《すく》い上げると双丘の切れ込んだ谷間を指でゆったりとまさぐった。

彼は、思わず、ギョッ…と目を剝いた。

「わたしの目を盗んで、ミメアと楽しんでいたのだ。まさか、このまま、すんなり済むとは……思っていまいな?」

彼の目に、初めて明確な怯《おび》えが翳め走った。

男はいつも、冷ややかすぎるほどに物静かな支配者であった。

しかし。何があっても声を荒げたことのないこの男が、その仮面の下にどれほど苛烈《かれつ》なものを秘めているか。彼は、誰よりもよく知っていた。

なのに、

『どうしてッ？』

――と。今更、後悔しているのではない。

男にミメアとの関係がバレたとき、したたかに開き直ってみせたのは彼だった。

主人の目をかすめて、情事に耽《ふけ》る。そんなことは誰だってやっていること――だったからではない。

彼は、ミメアが好きだった。

華やかな容姿も。純粋培養された高慢さも。与えられたテリトリーから一歩も外に出たことのない、無知な世間知らずも。どこもかしこも柔らかな肌触りも――ミメアのすべてが本当に好きだった。

彼女は、ほかの奴らみたいに彼を毛嫌いしない、唯一の『仲間』であった。

何もかもが異質な自分をありのままに受け入れてくれた、ただ一人の『人間』だった。

けれども。

ミメアとふたりっきりで語らうその蜜月《みつげつ》の裏で、いつも、男を裏切るスリルに密《ひそ》かな快感を覚えていたことを、彼は知っていた。

自ら望んだわけではない、禁苑《サンクチュアリ》。

己に課した矜持《きょうじ》以外、誰にも媚《こ》びることを知らない野性児は、それゆえに、どうしようもない閉塞《へいそく》感を持て余して窒息しかけていたのだ。

このままでは——ダメになるッ。

身体の芯から腐ってしまうッ。

そんな苛立たしさだけが、やけに痛烈で。

擦り切れかかったプライドをかなぐり捨てて男に媚びるくらいなら、いっそ、すべてをブチ壊してしまいたかった。

だから。

バレたらバレたときのこと。そう、高を括《くく》ってさえもいた。

後ろめたさは、男に……というより、むしろミメアにより強く感じていたのである。

しかし。

——今。

彼は、心底怯えていた。

「ミメア、とは——一度…だけ、だ……」

下手な言い訳など通る相手ではないと知りながら、そう弁解せずにはいられないほどビクついていた。

「一回が百回でも同じことだ。わたしにとってはな……。おまえがミメアを抱いた。それだけで充分だ」

男は這わせた指の腹でくすぐるように、後蕾《アヌス》を弄《いじ》る。

「――ッ！」

過ぎるほどの快感にジクジクと熟《う》れきっているのは、彼のペニスだけではない。いつもなら、執拗《しつよう》な愛撫《あいぶ》でしか綻《ほころ》びないはずの最奥の秘花ですら、すでに、物欲しげに熱く蕩けきっていた。

その淫らな熟れ具合を彼に知らしめるかのように、男は、指先で浅く何度も花襞を擦り上げる。

「おまえは、ここを、こう……されるのが一番好きだったな」

（違うッ！）

――だが。

喉元でへしゃげた言葉を、何よりも先に彼自身が裏切る。

どうにもしがたい自覚に、彼は更に怖《お》じ気づく。尖《とが》り切った快楽の堕《お》ちる先に肌を粒立たせて。

ゆっくりと。だが、淫蕩《いんとう》なうねりをきかせて男の指がもぐり込んでくるその感触に、彼は、

「くっ……ううう……」

こらえきれずに腰を捩って悶えた。

「どうした。今更、気取ってみても始まるまい？　素直に啼《な》いてみせたらどうだ」

男の声は、寒気を覚えるくらいにやさしい。普段の冷徹さからは、まったく想像もできないほどだった。

だから——彼は、産毛がそそけ立つ思いに声を無くした。

男の指が淫らに蠢くたび、慢性化しつつあった疼きが一気に収縮し、逆流してより強烈な痺れを生んだ。

「……う…あ…あぁッ……」

彼は、半ば無意識に後蕾《こうらい》を引き締めた。体内の異物を拒絶するのではなく、更に深く快楽を取り込もうとするかのように男の指をきつく締めつけ、小刻みに腰を揺らした。

浅ましくも艶《つや》めいた——媚態《びたい》。

だが。

男は、それでもまだ足りない——とでも言いたげに、彼の耳朶《じだ》を舐《な》め上げるように囁いた。

「そう、いい子だ……」

——瞬間。

彼は。

「ひ…イッ！」

小さな悲鳴を上げて、ヒクリッ…と仰《の》け反《ぞ》った。

背骨に喰らいついた痺れの渦が、突然、牙を剝いて脳天を突き上げる。そのたびに、伸びきった腕が、張り詰めた下肢がピクピクと痙攣を起こした。

深々と差し込まれた指でそこをきつく嬲《なぶ》られると、瞼《まぶた》の裏に焔《ひ》が走った。

全身の血管が膨《ふく》れ上がるような気がして——息が詰まる。

怒張したペニスだけではなく、凝《しこ》りきった両の乳首にも更にキリキリと芯が通るのだった。耐えられない激痛なら、失神してしまえばそれで済む。だが男は、淫らにきつく喘がせるだけで、射精させてもくれない。

男によって十二分に開花させられた後蕾の陰核は、彼を淫縛《いんばく》するための烙印《らくいん》でもある。それを思うさま嬲られて、

「…ん…あぁぁっ…んっ…あっ…いィッ……」

わななく唇に荒い吐息を震わせ、彼は喉を引き攣らせたまま激しく腰をくねらせた。一度も解放されることのない先走りの潤みはぬめった糸を引き、

「…やッ……くぅうぅッ！……」

半ば悲鳴に近い嗚咽が洩れるたびに、先端の蜜口《みつぐち》までもがヒリヒリと灼けついた。

男の手慣れた愛撫には、そういう凄《すご》みともつかないものがあった。

キリキリに凝った乳首を容赦なく摘み取られて、啼き。

疼きしぶる蜜口を爪の先で刺激するように抉《えぐ》り剝かれて——哭《な》く。

更に、ピッチリと男の指を咥え込んだ後蕾を押し広げるように二本目の指が捻《ね》じり込まれたとき。

「ひっ…あァアッ！」

彼は、涙を啜《すす》りながら切れ切れに哀願した。

「もっ…しね…ぇ……。やっ…あぁッ……。んっ……二度……し…ねぇ……か、らッ……。ん

グッ……ひっ……ィィんッッ！」

だから。

もう、許してくれッ——と。

何度も。

何度も……。

モウ、シナイ。

ニドト——シナイッ！

ダカラ、ユルシテッ！

痺れて回らぬ口で、熱に浮かされたように、それぱかりをひたすら繰り返す。

そんな彼の耳元で、男は更に囁く。

「いかせてやるさ、何度でも……。ミメアを抱いたことを、たっぷり後悔するまでな」

この上もなく、冷淡に。

「おまえは、わたしのペットだ。それを、骨の髄まで叩き込んでやろう」

——宣告する。狂おしいほどの昏さを込めて。

完璧《かんぺき》なまでの美貌ゆえに、誰もが畏怖《いふ》すら覚えて見上げるだけの男の蒼眸《そうぼう》が、その瞬間——

シンと熱く凍りつく。

それは、プライドを傷つけられた憤怒のほとばしりなのか。

それとも、どうにも抑えがたい執着の発露なのか。

いずれにせよ。その露悪的な昂ぶりの底に、ミメアへの屈折した嫉妬がドス黒く渦巻いているのを、男ははっきりと自覚していた。

＊＊＊＊2

歓楽都市──『MIDAS《ミダス》』。

それは。

まるで……。夜の沈黙と閑寂《かんじゃく》な時の流れを嘲笑う『暴君』のようであった。

いや。

悪辣《あくらつ》な帝王よりも、もっと質《たち》の悪い『魔人《メフィスト》』──だろうか。

それとも。

幾重ものどぎつい光彩《ネオン》の裾《すそ》をたくし上げ、妖《あや》しく人の心を誘いながら、口の端で爛れた含み笑いを洩らす『SHANGRI-LA《シャングリーラ》』なのか。

ともあれ。朽ち果てた知情意《ちじょうい》が其処此処《そこここ》で淀《よど》み、誰に憚《はばか》ることなく闇に君臨していることに間違いはなかった。

それゆえに。こうも、呼ばれた。

不夜城『MIDAS』──と。

通称《JUPITRE《ユピテル》》と呼ばれる、巨大コンピューター《Λ《ラムダ》-三〇〇〇》に統制された中央都市『TANAGURA《タナグラ》』の衛星都市として名高いこの街は。カジノ、バー、娼館《しょうかん》から各種ショー・ビジネスに至るまで、飽くなき人間の欲望を具現するための、ありとあらゆる娯楽を配した電脳都市《サイバネティクス・シティー》でもあった。

ミダスが統《す》べる天地には、倫理《モラル》もなければ禁忌《タブー》もない。

ただ淫靡《いんび》に、妖しく、傲漫《ごうまん》な華やかさだけが夜を重ね、毒々しいばかりの時間《とき》が耽《ふ》けていくのだった。

そこには、きらびやかな外見とは裏腹の、胸が悪くなるようなもうひとつの顔がある。箍《たが》の外れた本能と剝き出しの欲望とが絡み合い、底なしの快楽を貪《むさぼ》り尽くして肥大する、醜悪《グロテスク》なミダスの素顔が……。

闇に浮かび上がる光芒《イルミネーション》は、どこまでも淫らで――妖しい。

巨大な誘蛾《ゆうが》灯の元に群がる人いきれに、風は、常に生温《なまぬる》くぬかるんでいる。

まして。けだるく四肢にまとわりついて離れないミダスの吐息は、まるで……媚薬《びやく》そのものだった。理性を麻痺《まひ》させ、人の心を芯から蕩かしてしまう。

だが。

そのねっとりした感触も、ミダスの中核をなす《ダブル・リング》――エリア－1『LHASSA《ラッサ》』&エリア－2『FLARE《フレア》』から街道を一本外れるごとに薄らぎ、夜の冷気にふれて溶ける頃には区街の様相までもが一変してしまうのだった。

ミダス郊外。特別自治区、エリア－9『CERES《ケレス》』。

歓楽街の住人が嫌悪に眉をひそめて《ミダスの恥部＝スラム》と蔑み、寄りつこうともしない一画であった。

だからといって。隣接する各エリアとの境界に堅固な壁が立ち塞《ふさ》がっているわけでも、不法侵入を阻止するためのレーザーが張り巡らされているわけでもない。

それでも。

街路を一本隔てた『こちら側』と『向こう側』とでは、明らかに風景が一変するのだ。誰の目にも、それとわかるほどにくっきりと。

瓦礫《がれき》とゴミの散乱するストリートには、たむろする人影もない。ミダスの夜を染めて華やぐネオンの洪水さえ無縁だと言わんばかりに、崩れかけたビルの壁のいたるところでハレーションを起こしていた。

それは。ただ淡々と過ぎていくだけの時間が不意に屈折し、過去と未来が思いもせぬ方向へ歪《ゆが》んでしまったかのような、実に奇妙でふしだらな様だった。

不夜城が吐き出す苛烈な熱気も。

媚にまみれて弾け上がる嬌声《きょうせい》も。

この荒《すさ》んだ一画には届かない。ただ——混沌《こんとん》とした不気味な色彩に、ぐったり、その身を委《ゆだ》ねているだけ……。

ケレスに在るのは、時代に取り残された汚穢《おわい》だけ。

積もり積もったそれを掃き出すための気力は、とうに尽き。まして、街が街として活性化するための自浄能力は、すでに絶えて久しい。

聞こえてくるのは、時に流されていく怨嗟《えんさ》と自堕落なため息。

それが、昼も夜もなく、腐臭を撒《ま》き散らしているのだった。

人も街も――腐りきった土壌の中からは何も生まれない。

そうやって。蔑まれることに慣れきった『スラム』には、啄《ついば》む夢もなくなってしまったのだ。ケレスの住人にとって。何もかもが整然として時間の末端まで管理された中央都市タナグラは、はるかに遠い。想像することも叶《かな》わないような、別世界だ。

かといって。彼らには、夜に驕《おご》る独裁者に成り果てたミダスの裾をめくることさえ許してはもらえない。

そこに在るのは、潰《つい》えた過去の幻想《ゆめ》と現実《いたみ》。友と語り合う未来など、どこにも約束されてはいなかった。


その日。

どんよりと重い雲の流れは、予想外に速かった。

朝方はどうにか持った天気も正后を過ぎたとたんに崩れ、いきなり降りだした雨は、わずか十分もしないうちに激しい雷雨に変わった。

雨はバシバシと音を立て、容赦なく地面を叩きつける。まるで、スラムの存在を憎悪するかのような激しさで。

ゴミの散乱した道路の排水口はすぐに詰まり、溢《あふ》れかえる。どこにも行き場のなくなった水溜まりは、即席の小川もどきになってすべてを洗い流していった。

そして――夜。

縦横無尽に暴れ放題の雷雨が抜けた後は、満天の星空だった。いつもの鈍くくすんだ闇も、今夜ばかりは何もかもがスッキリと、妙に清々《すがすが》しかった。

もっとも。清々しいのは夜の気配だけで、日中の激しい豪雨に祟《たた》られて部屋にこもりっきりだったスラムの若者たちは、持て余す熱を発散するのに忙しかった。

仲間と酒をあおり。ドラッグを片手に、お決まりのセックスへと雪崩《なだ》れ込む。

ましてや。決して多いとはいえないテリトリーを巡ってのグループ抗争のトラブルなどは日常茶飯時で、別に珍しくもなかった。

エリアー９の勢力分布図は、年ごとに、その色が変わる。

とはいえ。それは、誰かが除草剤を撒いても、結局、雨の後に生えてくる雑草の種類が変わるだけ――といった程度のことで。お世辞にも群雄割拠《ぐんゆうかっきょ》の時代とは言えなかったし、グループ内での下剋上《げこくじょう》が取り沙汰《ざた》されるほどの派手さもなかった。

つまりは。駄馬と荒馬は腐るほどいるが、その鼻面を取ってエリアを仕切るほどの《カリスマ》がいない――ということだった。

それでも。反目し合うグループの抗争は歴然としていたし、絶えず繰り返される暴力沙汰はスラムの治安を悪化させる元凶の一端を担ってもいた。

今――現在。

エリア－9の覇権を争っているのは、スラムの新人類《ハイパー・キッズ》と言われる『ジークス』と、旧勢力の巻き返しを図る狂犬『マードック』である。その図式が、取りも直さず、新旧代替わり抗争とも言われる要因になっているのだが、その陰で、虎視眈々《こしたんたん》と漁夫の利を得ようとする第三勢力もまた、侮《あなど》りがたかった。

そんなふうに。欲しいものは自らの身体を張って奪い取る者たちより、そのおこぼれを狙《ねら》って互いの動向を牽制《けんせい》する根性のさもしさが蔓延《はびこ》りはじめたのは、およそ、四年ほど前からだ。

当時。エリア－9のクレイジー・ゾーンと言われた《ホット・クラック》を仕切っていた『バイソン』が、突然、絶頂期にいきなり解散するという暴挙に打って出て以来、いまだ、その後釜《あとがま》の首は定まらない。

『ジークス』にしろ。『マードック』にしろ。

「後は、最後の一撃を振り下ろすタイミングだけだぜ」

――などと、大口を叩いてはいるが。そのためには、決定的に不足しているものがひとつだけあった。その存在でもってのみ人を魅き、個々の力を何倍にもパワーアップさせる《カリスマ》が……。

かつて、スラムには、不世出とまで言わしめた一人の《カリスマ》がいた。

十三歳になり、養育センター『GUARDIAN《ガーディアン》』を出てきたばかりのその少年は、誰に祭り上げられることなく、ごく短期間のうちにスラムで名前を売るようになった。

容貌が素晴らしく際立っていたから……ではない。

意味なく媚びない。

あっさり膝を折らない。

容易《たやす》く人を信じない。

そういう、彼の特出した個性が、十三歳という年齢を凌駕《りょうが》していたからだった。

当時の彼を知る者は、口を揃えて言う。

「あいつは、誰にも懐かない『バジュラ』みたいな奴だったな」

——と。

『バジュラ』とは、ミダスの住人ならば誰でも知っている神話《ヴィラ・ナバス》の中の幻獣のことだ。

死の国の『魔獣《ラゴン》』とも、魂を狩る『神獣《グリンジャ》』とも呼ばれる——稀獣《きじゅう》。

闇のように艶やかな光沢を放つ猛獣は、どんな妖獣《モンスター》をもひと咬みで骨まで砕く鋼《はがね》の顎《あぎと》と鋭い牙を持ち。背の四翼で宙《そら》を駆け巡る、孤高のキマイラであった。

彼が、その『バジュラ』に譬《たと》えられたのは、自らを『雑種』と蔑むスラムにおいては奇異ですらある漆黒の髪と黒瞳の持ち主だったから……。

もちろん、それもあったが。何より、外見のしなやかさからは想像もつかないほどの獰猛《どうもう》さと、周到さ。更に加えて、そのふたつ名を地でいくようなストイックさが、スラムにおける彼の存在を際立たせていたからである。

弱肉強食が野獣の掟《おきて》ならば、弱者が強者に無自覚の庇護《ひご》を求めて擦り寄るのは、人間特有の習性だったりするのだろうか。

けれども、彼は。意味もなく愛想を振りまいて擦り寄ってくる者には見向きもしなかったし、多少の関わりを持ったからといって、別段、それに見合う見返りを欲しがりもしなかった。

なぜなら。彼の隣には常に、彼の半身とも言うべきペアリング・パートナーが寄り添っていたし。あからさま……と言っても過言ではないほどに、彼の目は、その少年以外の誰をも見てはいなかったからだ。

年ごとの経験を重ねて人は成熟していくものなのだとしたら、特出した個性が年齢も性別も選ばない場合もある。

彼の一挙一動には、常に、多大な関心と露骨なほどの興味の視線が寄せられたが。彼の日常は、そのことごとくをあっさり黙殺してしまう。

ただし。我が身に降りかかる火の粉を払う手には、その分、遠慮も容赦もなかったが。

それでも。人を魅く《カリスマ》の下には人の輪が広がるものなのだ。

彼が率いる『バイソン』が急速に伸《の》し上がってきたのも、当然の理《ことわり》であった。

が——しかし。

ある日、突然。

『バイソン』は空中分解してしまった。

呆然と絶句する、スラムの驚愕《きょうがく》を尻目に。それこそ——いとも、あっさりと。

ほかでもない。彼が『バイソン』を抜けると宣言したからである。

なぜ？

どうしてッ？

桁外《けたはず》れの衝撃が、スラム中を貫き走った。露骨な中傷と、様々な臆測《おくそく》を尾ひれにした噂《うわさ》をも巻き込んで。

事実。『バイソン』解散の真相は、いまだ謎に包まれている。

彼という《カリスマ》が在ってこその『バイソン』であった。

彼以外、誰も『バイソン』の頭《ヘッド》を張ることはできない。

解散の真相がなんであれ、彼という強烈な求心力を失ってしまった『バイソン』は、もはや『バイソン』ではなく。それゆえに華々しい伝説だけを残して、実質『バイソン』は自然消滅したのである。

それから——四年近く。

立派に……とは言いがたいが、それなりに地道に更生してきたかつてのメンバーの周辺は、このところ、何やら不穏であった。

もちろん。

この四年間。彼らを自分のグループに引き入れて箔《ハク》を付けようと、アプローチしてきた者は数知れない。解散してしまったとはいえ『バイソン』の存在感はあまりに強烈であったし、その名前のおこぼれに与《あず》かろうと躍起になって、見えすいた誘いをかけてくる新興勢力もあった。

けれども。

『バイソン』の末端を自称する連中はいざ知らず、公私ともに彼のパートナーであった者や古参のメンバーたちは、どんなに甘い言葉で煽《おだ》てられても、その重い腰を上げようとはしなかった。

《彼》と肩を並べて突っ走るあの高揚感を味わってしまった後では、何を今更……であったからだ。

水が淀めば腐るように、時が過ぎれば抗争の質も変わる。その時代の波に乗り切れない者は確実に落ちこぼれ、他人の尻ばかりを見上げることになる。

そういう意味においては、確かに、元『バイソン』のメンバーたちの選択は賢明であったかもしれない。過去の華々しい栄光を散々に喰い潰して、ただの駄犬に落ちぶれる屈辱だけは免れたのだから。

だが。ここへ来て、彼らの存在そのものを疎ましく思う連中が台頭しはじめたのだ。

その最右翼が『ジークス』であり、『マードック』であった。

ハイパー・キッズの『ジークス』が。狂犬『マードック』が。スラムでどれだけ勢力を伸ばしても、他のグループが連中を見る目はいたって冷ややかだった。

「だからって、『バイソン』ほどじゃねー」

「……『バイソン』にゃ、かなわねぇさ」

名指しで比較される台詞《せりふ》は、いつも、胸クソが悪くなるほどのワンパターンだ。

バイソン。

バイソンっ。

バイソンっ！

実質、スラムでの二大勢力を自認する彼らにしてみれば、いいかげん、その名前を耳にするのもうんざりするほどだった。

今は見る影もない伝説の《虚像》が相手では、意地もプライドも張りようがない。だったら。

その名前ごと。腐り果てた『バイソン』の残骸《ざんがい》を根こそぎ、徹底的に、ブッ潰してしまえッ！　――と。


その夜。

天空をくっきり染め抜いて輝く二連の月が、この上もなく美しかった。

はっ、はっ、はっ…………。

人通りの途切れた路地裏で。崩れかけた壁に顔を擦りつけるようにして、キリエは、吐息を喘がせていた。

いつもの溜まり場で、仲間と盛り上がるつもりで部屋を出てきたはずなのに。なぜ？……こんなことになってしまったのか。

（…きしょうッ。あいつら……きったねー…マネ、しやがってぇ……）

いきなりの、不意討ちだった。

最初の一撃をどうにか躱《かわ》して。それから後は……ただもう、追手を撒《ま》くために必死でメチャクチャに走り回った。

だから――今。キリエは、自分がどこにいるのかもわからなかった。

「くっそー……」

ドクドクと逸《はや》る拍動に煽られて、どっ…と汗が噴き出る。噛み締めた唇の端から洩れるのは、切れ切れの、憤怒の罵声だけだった。

（くそッ）

（くそッ）

（くっそーッ）

思うさま、毒づくだけ毒づいて。キリエは流れる額の汗を拭《ぬぐ》う。

そのとき。

あたりをそっと窺《うかが》うように伸ばした視線の先で。

不意に。

ポツリ……と。闇に赤い焔《ほむら》が点《とも》った。

「――ッ！」

一瞬。

ギクリと首を竦めて。キリエは、ふと――目を凝らす。

すると。

壁をはさんだ向こう……。瓦解《がかい》したビルの瓦礫の上に、誰かが座っているのがぼんやりと見えた。

荒んで腐れきった路地裏に闇の濃淡を造り出すのは、何とも心許《こころもと》ない二連の蒼白《あおじろ》い月明かりだけ。

だが。どうやら――赤い光点は煙草《たばこ》の焔《ひ》であるらしかった。

（あんなトコで……何やってやがんだ、あいつ……）

そんな疑問に、ふと、片眉を跳ね上げた――瞬間。

ドヤドヤと一塊になって迫ってくる足音に、路地裏の闇が一気にざわついた。

「いたかッ？」

「……ダメ。逃げられたみたい」

「…っそォ。だから、さっさとヤッちまえばよかったんだよッ」

「…ンなこと言ったってぇ。あいつぅ、逃げ足速いんだもん」

まだ、相当に若い……中には、いまだ声変わりもしていないようなハイトーンで、影たちは苛立たしげに怒鳴り散らす。

「どうすんだよ？　ツラ、見られちまったぞ」

彼らを取り巻く大気は、剣呑《けんのん》に揺らいでいる。

多勢に無勢……。ここで奴らに見つかってしまえば、おそらく、五体満足でいられる確率は十パーセントを切るだろう。

それを思って。キリエは深々と闇に身を沈めたまま、今更のように息を殺した。

「かまうもんか。それであいつらの尻に火がつきゃ、それでいいんじゃないのぉ？　そしたら、今度こそ、遠慮なくハデに叩けるじゃん」

居直りにも似た強気の台詞に、キリエは思わず、拳を握り締める。

(…ンのぉ、ガキどもがぁッ……)

そんなふうに。ギリギリと奥歯を軋らせるキリエ自身、まだ、コロニー暮らし三年目のガキではあったが。

しかし。

巷《ちまた》の噂によれば。『ジークス』のメンバーはすべて、十五歳未満のローティーンであるらしい。つまりは、養育センターとスラムのギャップにもようやく慣れはじめた、怖いもの知らずである。

もっとも。

それを言うのなら。当時の『バイソン』は『ジークス』よりももっと早熟で、過激だったと言えよう。

何しろ。十三歳になれば否応なく『ガーディアン』からの自立を余儀なくされて右往左往するガキどもを、アッ…という間にまとめ上げてしまったのだから。

それゆえに。その点ひとつを取っても、常に『バイソン』の二番煎《せん》じと陰口を叩かれる『ジークス』にとっては、まさに『バイソン』の生き残りであるメンバーそのものが目の上のタンコブなのだった。彼らがスラムに存在する限り、何をやっても比較され続ける《偶像》だからだ。

それも。堕ちたる偶像などではなく、負け知らずのまま、あっさり勝ち逃げしてしまった——曰《いわ》く付きの《ゴースト》だ。

……とはいえ。そんな昔のことはいざ知らず、今現在、彼らとツルんでいるというだけで闇討ちにされたのでは、キリエもたまったものではなかったが。

だが。事ここに至っては、下手な弁解などするだけ無駄な努力と言わざるを得ない。

『ジークス』のガキどもは、『バイソン』に繋がるものは根こそぎ殲滅《せんめつ》してしまわなければ、どうにも気が済まないらしい。

と——そのとき。

殺気立つ『ジークス』のメンバーはようやく、瓦礫の上でのんきに煙草をふかしている人物の存在に気付いたようだった。

「よぉ、あんた——そこで何ヤッてんの？」

純粋な好奇心というよりはむしろ、狙った獲物を取り逃がしてしまった苛立ちをぶつけたがっているような、ひどく不遜《ふそん》な問いかけだった。

しかし。

「ガキが、こんな時間にいつまでもウロチョロしてんじゃねぇよ。さっさと帰って、ションベンして寝ろ」

思いのほか張りのある声で返した男の言葉は、のんびりとした口調とは裏腹に、怖いもの知らずのガキどもの、更にその上を行くほど辛辣《しんらつ》だった。

キリエは、思わず腹の中で唸《うな》った。

（——どこのバカだよ、ありゃあ……）

目の前のガキどもが『ジークス』だと知って喧嘩《けんか》を売っているのなら、凶悪なまでの自信家だし。もし、そうでないのなら、バカに《超》が付くほどの身のほど知らずに違いない。

案の定。

「ふーん。お兄さん、オレたちが誰だか知ってて、そんなデカイ口を叩いてんの？」

『ジークス』の面子《プライド》を逆なでにされたガキどもは、

「知らなきゃ教えてやってもいいけどさぁ。そっちこそ、ションベン、チビるなよ」

コケにされたら倍返しがモットーだ——と言わんばかりに、

「這いつくばって泣いても、もう、遅いぜ」

ネチネチと絡みはじめる。持て余す不完全燃焼の熱をどこかにぶつけて発散するには、男は、恰好の餌食《えじき》と映ったのかもしれない。

「そう、そう。おれたちは——『ジークス』だからな」

だが。

「じーくす？　知らねぇな。そんなションベン臭いグルーピーは……」

男は拍子抜けをするほどあっさり、言い放った。

その——嫌味でもなければ、タチの悪いジョークでもなさそうな口振りに、キリエはあんぐり、ため息を洩らした。

(ホントに……バカ、らしいな)

「知らない？　おれたち『ジークス』を？　あんた……バッカじゃないのォ？」

「いいじゃん。知らないんなら、教えてやれば……」

「……だよな。みっちり、しっかり、身体に叩き込んでやろうぜッ」

ガキどもはすでに、ヤル気充分である。

それでも。

「相変わらず、スラムはスラムか。……とは、えらい違いだぜ」

男は、あくまで、淡々としたマイペースだった。

そして。

「下りて来なよ、お兄さん。その減らず口を切り裂いてやるからさぁ」

「そう、そう。遊ぼうぜ。時間はまだ、たっぷりあるし」

挑発されるまま、男が瓦礫から下りてきた——瞬間。

いきなり、レーザーナイフが闇を切り裂いた。

だが。

男は。慌てふためいてよろけるどころか、逆に素早く体を入れ替えて、切りかかってきたガキの腕をがっちり摑んで殴りつけ。その衝撃に思わず腰砕けになったところを、更に、容赦なく蹴《け》り上げた。

瞬間。

その場に——異様な沈黙が落ちた。

『まさか』

——という驚愕。

『そんな……バカな』

——という錯覚。

単に体格差だけではない。ツボにはまったようなその剛腕ぶりに、誰もが引き攣ったように双眸を見開いていた。

《獲物》は的を絞って集団で追いつめ、弱ったところを皆で嬲り倒す。

タイマンは好まず。体格的なハンデは数で補い、徹底的に痛めつける。

それが――『ジークス』のやり方だった。

みっともなく泣きわめき、不様に這いつくばって哀願するのは――いつも、《獲物》の方だった。

なのに……。場慣れしたはずの日常は、たった一人の男によって、あっけなく覆されてしまった。

(ス……ゲェ……)

キリエは暗闇の中で、ただ声を呑む。

そうして。

男は。

「目には目を、ついでに肉も骨も……ってのがスラムの流儀だったよな」

まるで。闇の中からゆったりと抜け出してくるように、ぼんやりとくすんだ街灯にその身を曝《さら》し。

「まぁ、どっちでもいいけど。退《ひ》くんなら、今のうちだぜ」

わずかに捲《めく》り上げた唇の端で。

「それとも――血ヘド吐きまくるまでやり合うか?」

うっそりと笑った。

金曜の夜《フライデー・ナイト》。

深くくすんだ闇に、珍しく月虹がかかっていた。

廃墟《はいきょ》に近いビルの一室を溜まり場にして、今は伝説《ゴースト・ネーム》になってしまった『バイソン』の旧メンバーたちは退屈な時間を食い潰していた。

昔、過激にスラムを引っ掻《か》き回してその名を馳《は》せた荒くれのガキどもも、一応、地道なカタギもどきに生活態度を改めて、今では、その牙もすっかり抜け落ちてしまった。少なくとも、表面上は……だが。

グループ抗争に明け暮れる若者たちの就業率は劣悪で、スラムはいつも慢性の人手不足だ。仕事の質さえ選ばなければ、人並みに食うには困らない。

もっとも。その『人並み』が、何を基準にしているのかはわからなかったが。

人間。夢も希望もない閉塞感に喘いではいても、腹は減る。

食欲は、生き物の本能である。

スラムで豪勢なディナーなど、望むべくもないが。それでも。餓えて惨めな死にざまを曝したいとは、誰も思わないだろう。

食料は、平等に配給されるのではない。地道な労働で手にするのだ。

——とはいえ。

あきらめの実感とともにそれをハッキリ自覚できるのは、持て余す若さが気力とともに急速に落ち込んでくる二十代後半になってから……ではあったが。

彼らにとっては、その時期が思いのほか早まっただけ――なのかもしれない。

「知ってるか？　今度、ミストラルでマーケットが開かれるそうだぜ」

薄明かりの中、『スタウト』と呼ばれる幻覚酒《トリッパー》をビンごと回し飲む手を止めて、ふと思い出したようにキリエが言った。

「マーケット？　――もしかして、競り市《ペット・オークション》か？」

いかにも気の荒そうな目を上げてシドが問い返すと、にべもなくキリエが頷いた。

「今回はアカデミー産のペットが出るっていうんで、カーンやリジナの成金までが目の色変えてるって話だ。通常の十倍以上に値が張るだろうって、もっぱらの噂だぜ」

いったい、どこで、そんな噂話を仕入れてくるのか。自堕落なカタギを気取る彼らの中にあって、キリエは一番の情報通でもあった。

「血統書付き《プレミア》の純血種、かぁ……」

ガイがひとりごちると、

「関係ねえさ、俺たちにゃ……」

吐き捨てるようなルークの言葉が返ってきた。

「そりゃあ、アカデミー産のペットと比べようなんて思わないけどさ。おれたちだって、金と手間をたっぷりかけて磨きゃあ、まんざら捨てたもんでもないぜ。少々、ガラは悪いけどさ。なあ、リキ？」

灰色と青色に様変わりしたオッド・アイを向けて、キリエが笑いかける。

けれども、リキは。そんなことには、まるで興味がない——とでも言いたげに、スタウトを口に含んだだけだった。

そのあからさまな態度に、キリエはムッ…と眉を寄せた。

腹立たしいのは、同意を得られなかったからではない。皆の前で、平然と無視されたことである。

無遠慮にまとわりつく他人の視線を叩き落としたことはあっても、いまだかつて、鼻先で軽くあしらわれたことのないキリエであった。それゆえ、キリエにとってリキの態度は、痛烈な平手打ちにも等しかった。

(——こいつ……)

キリキリと奥歯を軋らせて、ふと、キリエは思い出す。

いつもの溜まり場に、ガイが突然連れてきたその男を前にして、彼らが束の間——呆然と声を無くし、次の瞬間には、誰もが興奮ぎみに奇声を張り上げてその名前を連呼した夜のことを。

『リキッ!』

リキ……?

(リキ——だって? マジ、かよ)

そうして。

キリエは知ったのだ。眼前の——まるで、アカデミー産並みのルーツを垣間見せる《かいまみ》ような黒髪・黒瞳の男が、かつての、スラムの《カリスマ》であったことを。

その瞬間の、何とも言いがたい酩酊《めいてい》感のようなものを、キリエはいまだに覚えている。

なぜなら。

その三日前の夜。

偶然というか、必然というか……。図《はか》らずも、キリエは、その目にしっかりと焼きつけてしまったのだ。『バイソン』の頭《ヘッド》であったこの男が、それを根絶やしにしようと躍起になっている『ジークス』のガキどもを冷然と叩きのめすのを……。

何という——皮肉。

いや。

何という——僥倖《ぎょうこう》。

もう二度と見ることは叶わないであろうと思われた『伝説』の片鱗《へんりん》は、『バイソン』のメンバーとはまた違った意味で、キリエを心底興奮させた。

しかし。

そのときのことを皆の前でこれ見よがしに暴露したわけでもないのに、なぜか、リキはキリエにだけ冷淡だった。

それは、まぁ。メンバー内では唯一、顔も知らないような新参者ではあることだし。初対面で、いきなり馴《な》れ馴れしいタメ口を叩かれて不機嫌になったせいもあるだろう。その点は充分に反省しているのに、それ以後も、リキの態度はまるで変化しなかった。

だから。キリエも意地になって、いまだにタメ口のままだったりする。

なぜかはわからないが。

もしかしたら、リキに嫌われているのではないか……?

前々から、そんな予感はあった。

別に、誰かの口からこっそり耳に入ったとか。面と向かって嫌味を言われた——とかいうのではない。

それでも。何げない拍子にチラリと見せる視線の険しさは、そう思わせるだけの棘が確かにあった。

いや。嫌味や皮肉を言われるのなら、その方が、まだマシだったかもしれない。それなりに切り返すことも可能だからだ。だが、リキには、取り付く島さえないのだった。

それどころか……。

まったく、相手にされていない。

その事実をあからさまに鼻先に突きつけられて、キリエの眦《まなじり》が更に切れ上がった。

なのに。

リキは。そんなことなど眼中にもないのか、遠目に伏せた視線を上げようともしなかった。

それに焦れて、毒舌のひとつでもカマせてやろうか——と、キリエの唇が歪んだ。

——そのとき。

まるで、きっちりとタイミングを見計らったかのように。やんわり、ガイが言った。

「なんだ、キリエ。おまえ、名前入り《ネーム》の首輪《リング》でも欲しいのか？」

瞬間。

出端《でばな》をくじかれた思いに、キリエは軽く舌打ちをした。

それでも。気を取り直すようにひと呼吸置くと、うそぶくように笑ってみせた。

「当然だろォ？　飼い主がダブリン級のトリッパーを飲ませてくれるような奴なら、足の裏だって舐めてみせるぜ、おれは……」

それが、リキの何を——どこを刺激したのか。

先ほどまでの無関心ぶりがまるで嘘のように、いきなり射るような冷ややかな視線を浴びせられて、キリエはたじろぐよりも先に思わず拳を握りしめた。

理由もなくキリエを不快にさせる、あのささくれだった冷たい眼……。それをまともにくらって、鬱積《うっせき》した苛立ちに火柱が立った。

（——なん、だよッ！）

だが。息苦しいばかりの痛憤も、無言の冷たい眼差しに射竦められて声にはならない。ただ、不様な自分に対する苦々しさだけが胸の底で渦を巻いていくばかりだった。

すると。

キリエの右隣で、薄ら笑いに唇の端を歪めてルークが言った。

「なぁに、寝惚《ねぼ》けてやがるんだよ。スラムの雑種をペットにしようなんて物好きが、いるわきゃねーだろうがよ」

誰も——笑わなかった。冗談にも皮肉にもならない、それが紛れもない現実であったからだ。

そんな気まずさを蹴りつけるように、ノリスが忌《い》ま忌ましげに口をはさむ。

「ンなことより、『ジークス』のクソガキどもだぜ」

「おぅ。それ、それ。なんか知らねーけど、最近、やけにしつこく人のケツを追い回してやがるし」

「けど、あいつら。この間、どっかのヤローに半殺しの目に合わされてチビッてるって、噂だけど?」

何でもないことのように言いながら、キリエは、ちろりとリキを見やった。

それでも。リキは顔色も変えない。

「へぇー。そりゃまた、ありがたいこったぜ。けど——どうせなら、ついでに奴らの頭ごと蹴り潰してくれりゃあいいのによ。そしたら、スラムも、ちったー静かになるってもんだぜ」

聞いているのか、いないのか。リキはかすかに目を伏せたまま、残り少ないビンの底をさらうようにスタウトを飲み干した。

スタウトを口に含むと、舌を刺すような独特の苦《にが》みがある。

けれども。ザラリとしたその感触は、いつものそれとは微妙に違っているようにリキには思えた。

スタウトが持つ特有の苦みというよりはむしろ、何とも形容しがたい、ドロリと昏い重さ……だろうか。

（気のせい……さ）

その思いを咬み砕きながら、リキは、ことさらゆっくり嚥下した。

懐が温かければ、もっとマシな、口当たりのいい酒でハイな気分にもなれるのだろうが……。

ここでは、それもおぼつかない。

グループ抗争の合間に、スリルと実益を兼ねて歓楽街を漁《あさ》り歩く過激な悪ガキから、どこか斜に構えたままとはいえ、地道に稼ぐ勤労青年に宗旨変えをしたからではない。

エリア－9『ケレス』には、年ごとに若い《血》は絶えず注ぎ込まれるが、その核を成す『スラム』という動脈はすでに、ドロドロに腐れきっていた。もう、どうしようもないほどに。

だからといって。自らの手でその腹をかっさばいて、膿のたまった臓腑《ぞうふ》を撒き散らすだけの根性も気力もない――というのが、嘘偽りのないスラムの現実だった。

気前よく振る舞ってくれる金蔓《かねづる》もなければ、金をせびる相手もいない。まして、若さだけを持て余しているような連中には、高価な嗜好《しこう》品といわれる幻覚酒など夢のまた夢だ。

今やっているこのスタウトも、三日前ルークがどこからか仕入れてきた、いわば貴重な代物《しろもの》だった。

だが。そのありがたみを咬み締めるために、チビリ、チビリと回し飲みをしているわけではなかった。

スタウトは、神経刺激剤として、認可されていないトプラを使用している。

はっきり言ってしまえば、密造酒である。

これをドリンク代わりに一気に流し込むと、ヤバイことになるのだ。バッドトリップするどころか、運が悪ければ七転八倒のあげく、そのまま窒息しかねない。

スタウトが、アルカロイド系幻覚酒の中でも一番タチが悪い——と言われる原因はそこにあった。

もっとも。その下の下が、スラムには一番相応《ふさわ》しいのかもしれないが……。

それでも。

いったん酔いが回ってしまえば、ピンもキリもない。洩れる吐息が張り詰めて、言葉にすれば砕けてしまいそうなほどに脆い、蜃気楼《しんきろう》めいた陶酔がそこにあるだけだった。

スラムの若者は、皆、どこにもぶつけようのない苛立たしさを背負っている。

口に出しても満たされない魂《こころ》の渇きがある。

それは。いつでも、『しょうがない』の一言ですべてを咬み砕いてしまえるやりきれなさでもあった。

たとえ刹那的にしろ、スタウトは、そこから彼らを解き放ってくれる。認可されていない密造酒など、『危ないからやめろ』——とは、誰も言わなかった。

やがて。語り尽くした後の白々とした沈黙は、彼らの間で、ねっとりと滞りはじめる。

——と。

何かを思ったのか。そのとき、不意にルークが身を乗り出し、どんよりとした目をリキに向けた。

「けど、なんだよなぁ、リキ。こうやって、またガン首そろえてるとさ、チンケなトリッパーでラリってるのが情けなくなるよな、ほんと」

何か含むところがありそうなルークの濁った視線が、舐めるようにリキの身体を這い回る。

「だからって、昔話の戯言《ざれごと》を蒸し返すほどジジイになっちまったわけじゃねーけどよ」

いつもだったら。嫌悪に眉を寄せたくなるほど露骨な口調も、目つきも、スタウトが効きはじめてきたせいか、リキはあまり気にもならなくなっていた。

鼓動は緩やかに時を刻み、次第に力強さを増しながら、やがて――特異なリズムを伴って四肢へとうねり出す。

ソファーを背にゆったりと手足を伸ばし、リキは深く息を吸った。

そのまま、静かに目を閉じる。

何も見えない。

何も……聴こえない。

感じるのは、ごくわずかな、微睡《まどろ》みにも似た震動《バイブレーション》……。

そのうっとりするような手ざわりに惹《ひ》かれてひと息つけば、身も心も、フワリと現《うつつ》を抜けるのだった。

――その瞬間。

目の奥の闇がざわつき、不意に、極彩色のスパンコールが跳ね上がった。

その頃には、もう……。リキは、痺れるような快感を上りつめること以外、何の興味もなくなっていた。

そうして。

ガイは。

肩越しに見るリキの、うっすらと微笑を含んだ横顔に、ふと、三年間の空白を見たような気がしてかすかに目を伏せた。

＊＊＊＊＊3

『スラムは、若さと精神を食い荒す《バケモノ》だ』

――と。いったい、誰が言ったのか。

エリア－9の住人ならば、それが偽らざる真実だと誰もが身をもって知っている。

にもかかわらず。スラムを出て行こうとする者に向けられるモノは、ありったけの羨望《せんぼう》を上回る、根強い嘲笑《ちょうしょう》の視線だった。

腐り果て、ただ老いていくだけの吹き溜《だ》まりには喰《く》らう夢もない。

だからといって。可もなく、不可もなし……。そんな、現実を世襲していくだけの日々は砂を嚙《か》むより味気ない。

ジレンマは。それゆえに、現実を打ち破ろうとする者を悪《あ》し様に貶《おとし》め、その反動でもって容赦なく自我を侵蝕《しんしょく》するのだ。

希望がなければ、人は翔べない。翔べないということは落ちる恐さをも知らないことであり、それでは何の進歩も望めない。

誰もがそれを知りながら、その一方で、自ら――心の翼を切って捨てるのだ。まるで、そうしなければ生きてはいけないのだと言わんばかりに。

スラムという現実の《壁》は、それほどに重く、昏《くら》い《闇《やみ》》であった。

故に、弾き飛ばされるとわかっていながらあえてその《壁》に挑む者を、彼らは皮肉を込めて『勇者《マルス》』と呼ぶ。その口の裏で、勇者の履く靴にもなれない自分を憐れむように、ひたすら自堕落に酒をかっ喰らうのだった。

そんな中で。かつてリキは、口癖のように繰り返したものだ。我が身の半身とも言うべきペアリング・パートナーのガイにだけは、心情を吐露《とろ》するかのように。

『いつか——スラムとはおさらばしてみせる』

今まで、同じ言葉を吐き捨ててスラムを去った者が悄然《しょうぜん》と肩を落とし、ものの一ヵ月も経たないうちに舞い戻ってきても。少しも怖じることなく、語気を強めて前を見据《みす》えていた。

『いつか、きっと……』

——と。


四年前。

突然『バイソン』が空中分解をして、三ヵ月ほどが過ぎた頃。

その夜、遅く。

ふらついた足取りで、リキはガイの部屋《コンパートメント》に転がり込んできた。

「よぉ……。元気、か？」

ドアが開くなり、いきなり鼻につくような酒臭い息を吹きかけられて、ガイはたまらず顔を背けた。酒を飲むことはあっても呑《の》まれたことのないリキが、アルコールのシャワーでも浴びたのではないか……と思えるほどだった。

そんなリキの様子にわけもなく不安を覚えて、中に招き入れるよりも先に、

「リキ……。何？　どうしたんだよ？」

ガイは、思わず眉《まゆ》をひそめた。

しかし。リキは、そんなことなどまるでお構いなしにユラリと身体を乗り出し、唇の端をわずかに吊《つ》り上げた。

「ほんの、手土産《てみやげ》……」

そう言いつつ、どこか危なっかしい手つきでガイの胸元に押しつけたそれは、噂《うわさ》には聞くが、実物はおろかそのラベルのコピーすら拝んだこともないような、スタウトとは雲泥の高価な幻覚酒だった。

ガイは、一瞬――ゴクリと息を呑んだ。

「どうしたんだよ、これ……」

半ば掠《かす》れ声で問いかけると、リキは、含み笑いにククッ…と喉《のど》を震わせた。

よほど良いことでもあったのか。

それとも。ヤケ酒が高じてのハイテンションなのか。

だらしなく崩れた口元からは、その胸中までは窺《うかが》い知ることはできない。

だから。ガイは、不安の芽を摘み取るように、

「えらくご機嫌だな。何か、いいことでもあったのか？」

やんわりと探りを入れた。

——と。リキは、唯一自由に寛《くつろ》げるベッドを我が物顔で占領したまま、

「まぁ、な」

トロリと潤んだ目を上げて、鼻先で笑った。

「それにしても、ロジェ・リナの『ヴァルタン』なんて、大したもんだな」

「なんだ、皮肉かよ？」

「何が？　めったにラベルも拝めないようなモンもらって、一言、礼が言いたかっただけさ。まさか、どっからかくすねてきた……なんて、思ってやしないぜ？」

とたん。

リキは、身をよじって声高に笑った。

それは……。酔いにまかせた哄笑《こうしょう》とも、どこか醒《さ》めきった自嘲《じちょう》の歪《ゆが》みともつかず、ガイの胸騒ぎを誘ってやまなかった。

ガイの記憶に間違いがなければ。リキの様子が目に見えて変化し出したのは、夜のミダスをクルージングして、久々に荒稼ぎしたあたりからだった。

数種のプリペイド・カードで膨《ふく》れ上がったポケットに手を突っ込み、

『もう、充分だろ？　ツキが落ちないうちに、そろそろ引き上げようぜ』

そう言うガイの尻《しり》を軽く蹴《け》り上げ、

『俺たち、今夜は《運の女神《ジャミラ》》に愛されまくってんだぜ。そういうときは、とことんしゃぶり尽くすのが礼儀ってモンだろ？　おまえは先に帰ってろよ、ガイ。俺は、最後にもう一回りやってくる』

不敵に笑って人波に消えていったリキは、その日、ガイの元には戻ってこなかった。

そんなことは、大して珍しいことでもなかったので。そのときガイは、別段、心配もしていなかった。

やることはけっこう大胆なくせに、妙なところで変に神経質なリキに限って、下手なドジを踏むとは思えなかったし。きっと、どこかで、良い気分で飲み明かしているんだろう……と。

だが。

今にして思えば。

あの夜が、何かしらの始まりだったのかもしれない。

そこで、本当は何があったのか……。

リキは、決して口にしようとはしなかったが。

それが。いきなり、

『ガイ、俺はバイソンを抜けるぜ』

そんな爆弾宣言をブチかます一ヵ月前のことだった。

当時。スラムではトップを張っていた『バイソン』も、元は、コロニーでは何の庇護《ひご》もコネも持たない新参者が、海千山千のゴロツキどもに身も心も食い物にされないために造り出した自衛集団《プロテクター》であった。

強い者が弱い者を喰らい、周囲に己の存在を誇示《アピール》する。

それは、スラムにおいては、しごく単純明快な《力》の論理であった。

強い者が勝つ――のではない。

生存競争に勝ち残った者だけが、声高に己の正義を主張する権利を有するのだ。

甘えも泣き言も、通用しない。

誰も、当てにできない。

よくも悪くも、自己を確立できない者は骨の髄まで毟《むし》られるのだ。

他人に搾取されたくなければ、自分が強くなるほかはない。それが、唯一無二のスラムの掟《ルール》でもあった。

一人一人は微力でも、それをひとつにして突き上げれば思いがけないパワーを生む。独りでは持ち上げることのできない物も、知恵を出し合い力を合わせれば軽く掃き出せる。そのための《要《かなめ》》として、リキの存在があったのだ。

「黙って待ってるだけじゃ、何も始まらない」

養育センター『ガーディアン』時代からのリキのポリシーは、一貫して変わらない。

けれども。

リキは。

「だからって、俺は、赤の他人の尻拭《しりぬぐ》いまでする気はない」

必要に迫られて、実質『バイソン』の頭を張ることになってしまったことを除けば、別段、それに対する欲も執着もなかった。

我慢がならなかったのは、自分の意志を無視した暴力まがいの強制であり。甘言《かんげん》を弄《ろう》した、傍《はた》迷惑なお節介であり。他力本願のおべっかであった。

リキに傾倒する者の視線は、灼《や》けつくように熱かったが。リキの黒瞳《め》が同じ熱さで彼らを顧みたことなど、ただの一度もない。たった一人、ガイを除いては……。

にもかかわらず、リキは、他人を魅くのだ。そこに存在するというだけで、ある種の高揚感を刺激する。

だから、ガイは。

それゆえ、シドは。

したがって、ルークは。

そのために、ノリスは。

担ぎ上げた《カリスマ》の玉座にリキを繋《つな》ぎ止めておくために、自ら、それを支える柱に徹することも厭《いと》わなかった。

欲はあった。

夢も——見た。

スラムでトップをブッ千切る、野心もあった。

だが。

リキが、あっさりとその玉座を放棄してしまったとき。なぜか——誰ひとりとして、その後《あと》釜《がま》に居座る気にもならなかったのだ。

そんなふうに。『バイソン』は瓦解《がかい》したのである。周囲が唖然《あぜん》とするほどに、いともすんなりと。

そして——現在。

リキは、

『あいつ、ヤバイことに片足突っ込んでるんじゃねーか？』

そんな、やっかみともつかぬ噂が飛び交うほど、やけに金回りがいい。

しばらく顔を見せないでいるかと思えば、突然、スラムなんかでは話のネタにもならないような値の張る酒を引っ提げて来たりする。

しかし。リキは皆のどよめきに破顔はしても、羨望と嫉妬《しっと》の入り混じった眼差しにうっとり酔いしれているわけではなかった。

それどころか。リキの黒瞳は、ガイたちには窺い知ることのできない何かをじっと見据えているようだった。まるで、満たされない餓えを孕《はら》んだようなきつさで……。

ガイたちだけではなく、スラム中の誰もが、その金の出所を知りたがった。

けれども。

『よぉ、リキ。まさか、成金のパトロンでも咥《くわ》え込んでるんじゃねーだろうな？』

『ばぁか。リキみたいな荒馬の鼻面《はなづら》取れる奴が、そうそういるもんかよ。なぁ？』

『——で？　ホントのところはどうなんだよ？』

チクリと皮肉を込めた冗談にして問いつめても、リキは曖昧《あいまい》に口を濁すだけで、まともに取り合おうとはしなかった。

それでも。仲間がそれ以上リキを問い詰めもせず、必要以上の妬《ねた》みも反感も買わなかったのは、四六時中ツルむようなことはなくなっても、リキが変わらず『リキ』で在りえたからだ。

——いや。

スラムという掃き溜めには不釣り合いなほどに際立つ漆黒の髪も。黒曜石の瞳も。そして、しなやかな肢体に内封された鮮烈なオーラも。よりいっそう、艶《つや》を増したかもしれない。

もしかしたら。『バイソン』という《枷《かせ》》がなくなって、リキは、リキ本来の輝きを取り戻したのではないか——と思えるくらいには。

誰も言葉にこそしなかったが、彼らはそこに、確かなビジョンを感じ取ったのだ。リキと自分たちを隔てる視差を。くっきりと……。

だからこそ。

彼らは、半ば無意識に自戒した。くだらない悋気《りんき》で、その視差《め》が歪み狂ってしまわないように。リキと自分たちを繋ぐ絆《きずな》がねじ切れてしまわないように、と。

それゆえに、ガイは。本気で心配せずにはいられなかった。『バイソン』のメンバーとしてではなく、常に、リキの傍らに在り続けたペアリング・パートナーとして。

「おい、リキ。おまえ——マジに、ヤバイことに首突っ込んでるんじゃないだろうな」

「なんだよ、急に……。ンな、睨《にら》むなって」

「ごまかさないで、ちゃんと答えろよ」

ガイは不安だった。

自分は、リキの精神的な拠り所でありたい——と。

そう願い、そう在り続けてきたはずなのに、この奇妙な苛立《いらだ》たしさは何なのだろうと。

リキと自分を繋ぐ絆が、どこかで少しずつ歪んでいくような——錯覚。

そんなガイの動揺を知ってか、知らずか。

ふぅっ…と大きくため息を吐いたリキは、その口でボソリとつぶやいた。

「なぁ、ガイ。チャンスってのは、そうそう、どこにでも転がってるもんじゃねぇよな。特に、俺たちみたいな雑種が日の目を見るチャンスなんてのは、さ」

酔いに潤んだ黒瞳を、かすかに眇《すが》めて。

「俺はな、くすねてきたスタウトをちびちびやってチンケなトリップをするのに、飽きちまったのさ」

溜めに溜め込んだモノを静かに吐露するように。

「同じ夢を見るんなら、おもいっきり、パッ…と派手にいきてぇよな。物欲しそうなツラして、ただ指を咥えて待ってるだけじゃあ、いつまでたってもクズのままさ。俺もおまえも、そういう奴ならゴマンと知ってらぁ。そうだろ？」

　問いかけることの意味も。

「ガイ……俺は、嫌なんだ。このまま、ずっとここにいると、身体の芯《しん》まで腐っちまいそうでゾッ…とする」

　現実の重さも。

　そのすべてを知り尽くして、なお、

「俺は、這《は》い上がってみせるぜ、ここから」

　揺らがない意志の強さを見せつけるかのように。

　何が、そこまでリキを駆り立てているのか……。ガイにはわからない。

　たぶん。リキは、見つけてしまったのだろう。自分の存在意義がどこに在るのかを。

　しかし。ガイは、それを問いつめることができなかった。もし、それを口にすれば、リキの中で何かが決裂してしまいそうで……それが怖かったのかもしれない。

　だから、ガイは。

「そう、だな……」

　言葉少なに頷《うなず》いたのだった。チクリと喉を刺す、何とも形容しがたい棘《とげ》に、かすかに唇を歪めて。

ミダス――エリア－9『ケレス』。

過去は在っても、未来《さき》の見えない陋巷《ろうこう》。

少なくとも。物理的には、ケレスとミダスを隔絶する物など何もない。

しかし。

ミダスと同じ大地を、宙《そら》を、言葉すら共有しながら、ミダス市民としてのＩＤカードを持たない《雑種》――それだけの違いで、スラムは、ケレスであってもミダスではあり得ないのだった。

浮浪者や犯罪者が寄り集まって『スラム』という掃き溜めができたのではない。『エリア－9』という一画だけが、住人ごと、ミダスの地図《マップ》からも登録カードからも永久に抹殺されているのだった。

地図にはない首枷は、それゆえに、当然のごとく、目には見えない確執を生んだ。

しかも。

それは、ある意味。ミダス市民を自縛するために穿《うが》たれた刻印のように、彼らの視界の隅で絶えず鼓動していた。

歓楽街の住人として身も心も縛られたそこでの生活は、決して快適なものではない。何より『ゼイン』と呼ばれる身分制度の世襲は彼らの足枷であり、階級差を無視した職業の選択の自由もなければ、自由に恋愛することも許されない。

それでも。体制批判やトラブルを起こしてＩＤカードを失うより、従順に規則に従い口をつぐんでいる方がはるかに賢明なのだと、誰もがそう思っていた。

彼らの目の前には、自らを《雑種《クズ》》と蔑《さげす》むケレスが在る。

先の見えないドン底で喘《あえ》ぐスラムが、そこにある。

自分たち以下の存在を、常に視界の端で確認することができる優越感と嫌悪感。

ミダス市民にとっての最大の屈辱であり最悪の恐怖とは、言動の自由を事細かに束縛されるとか、人権を無視した不当な行為に憤ることではない。身ぐるみ剝《は》がれて、ケレスへ堕《お》ちることなのだ。

『スラム＝人間失格』

その刷り込みは、彼らの脳髄の奥底まで、徹底的に浸透しているのだった。

それは、二度と同じ失態を繰り返すまいとするミダス自身の、畏怖《いふ》のこもった自戒が剝《む》き出しになっているようにも見えた。

かつてミダスには、その基盤を覆すかのような反乱が勃発したことがあった。

コンピューターによる支配と隷属の鎖を断ち切り、人間らしい自由と尊厳を求めて新しい時代を築こうとする者たちが、エリア－9を占拠して独立を目指したのである。

『反乱ではなく、革新だ』

そう、彼らは言った。

『機械に忍従し、奉仕する時代は去った』

——のだと。

そのための資金と物資。更には、ミダス――いやタナグラを相手に真っ向勝負を挑むだけの情報知識まで。いつ、どこから、どうやって調達してきたのか。エリア－9には、当座の籠城《ろうじょう》生活には困らないだけの人材と物資が揃《そろ》っていた。

誰にも強制されず。

身分の上下もなく。

すべての者が、等しく『一己の人間』でありたい。

ケレスは、そんな彼らの理想郷《ユートピア》になるはずだった。

『何の束縛もない、真の自由をッ！』

そんなスローガンを掲げ、人権の復活を求めて一歩も譲らぬ彼らの連帯感《パワー》と情熱《パッション》は、目を瞠《みは》るものがあった。

その熱いうねりはエリア－9から各エリアへと、飛び火するように流れ、発火し、水面下でくすぶっていた感情を一気に爆発させた。

まるで、今まで溜まりに溜まった鬱憤《うっぷん》をブチまけるように、あちこちでサボタージュが起こり。至る所で公然と体制批判の怒号が湧《わ》き上がった。

最初は、

『よくて、十日も持つまい』

そんなふうに高を括《くく》っていたミダスの政務官たちも、その煽《あお》りをくって客足がごっそり遠のくにいたって、ようやく、事の重大性を認識せずにはいられなくなった。

しかし。体制に牙《きば》を剝いた反乱組織の首謀者たちの背後にチラつく連邦の影を意識してか、たとえ内心は痛憤と呪詛《じゅそ》の嵐《あらし》で煮えくり返っていようとも、表面上、力でもって彼らを捩《ね》じ伏せようとはしなかった。

その結果。ミダスは、エリア－9内の一斉排除という強行措置の代わりに、彼らの市民登録の抹消のみを通告したのである。

その日。

響き渡る歓喜の声が、ケレスを震撼《しんかん》させた。

『やったッ！』

『勝った！』

——と。

むろん。意外というより、むしろ拍子抜けするほど寛大なミダスの通告に、疑いの目を向ける者がなかったわけではない。だが、それも、勝利の雄叫《おたけ》びを上げ、興奮に酔いしれて仲間と肩を叩《たた》き合ううちにひっそりとかき消えてしまった。

たったひとりの犠牲も出さず。

誰ひとり脱落する者もなく。

自分たちの自由と独立の権利を勝ち取った。

それが、彼らの誇りであった。

しかし。

『果たして、本当に勝利だったのか？』

『ミダスは、なぜ、あんなにもあっさり、ケレスの独立を認めたのか？』

勝利の興奮が去り。

月日を数え。

彼らは——そう反芻《はんすう》しはじめた。

ケレスがミダスの支配下から離れて存在していくための様々な局面に、絵空事でない現実の厳しさを見い出したからである。

『来る者は拒まず』

それが、ケレスの信条であった。

虐《しいた》げられてきた者同士。今度は、志を同じくする者が、皆でケレスの未来を創造《つく》っていけばいい。

そんな読みの甘さが彼らにはあった。独立のために、密《ひそ》かに援助してくれた連邦政府への依存心が抜けきれてはいなかったのかもしれない。

もちろん。

彼らは。人権擁護《ようご》の旗印を掲げる連邦の無償の行為をありがたく思いこそすれ、『ミダス』という背徳の毒を抱え込んだ中央都市《メタリック・シティー》『タナグラ』の牙城《がじょう》を切り崩すことに執念を燃やす連邦の甘言と扇動に、あっさり乗せられてしまった——などとは、間違っても思わないだろうが。

それゆえ。理想が《組織》として確立する前に、ケレスは《自由》という言葉の魔力に取りつかれた人々であふれ返ってしまった。

その多くが、何の信念も持たずにやってきた。ただ、ケレスに行けば何かが変わるに違いない——と。

そんな連中を確実に把握し、統率するには、彼らはまだ若すぎた。いや。思い描く理想ばかりが先走りして、足下にある現実への認識が足りなかった——と言うべきか。

何よりも致命的だったのは、言を左右せず、情に流されずにきっちりと決断を下すことのできるリーダーがいなかったことだろう。

その現実が、まず、ケレスの足並みを乱した。

次いで。

『約束が違う』

『自分には何の恩恵もない』

『あんな仕事はゴメンだ』

——などと、身勝手な不平不満が続出した。

それは、やがて。思うようにはならない焦りと、こんなはずではなかったという苛立ちに取って変わった。

誰からも干渉されず、何の束縛もされない《自由》とは、自分の好き勝手に振る舞うことではない。それを手中にするには、最低限度の《規律》と《協調》が不可欠なのだ。でなければ、どれほど声を嗄《か》らして自由を叫んでみても《理想》は空回りするだけだ。

烏合《うごう》するだけの独立など、何の意味もない。

勝ち取った自由を根付かせるには、それなりの時間と忍耐を必要とする。

彼らは、単純で、しかも一番大切なそのことを身に沁《し》みて知るべきであった。そうすれば、事態はそれなりに好転したかもしれない。

しかし。

その道のプロともいうべき連邦の活動家らが必死でテコ入れをしたところで、嵐が治まり急速に熱が冷めていくケレスの中にあっては、所詮《しょせん》、よそ者である。ミダスから独立してはみたものの、初志を貫くにはあまりに多くの問題を抱え、ケレスは青息吐息の態であった。

それでも。

こちらがダメになっても、まだ、帰る古巣は残されている。そんな安易な考えが彼らにはあったのだろう。

その身勝手な甘えをミダスに痛打されて初めて、彼らは《自由》の代償の重さを知ることになった。

ケレスへの定住を希望したときにはすんなり許可を出したミダスが、登録抹消を盾に、彼らの帰参を拒絶したのである。

体制への不満分子を再び懐に入れまいと、頑《かたく》なに扉を閉ざしたのではない。その気になれば、ミダスは記憶操作などの洗脳すらためらわない非情さをも持っている。

要は、連邦に対する、タナグラの衛星都市としての面子《メンツ》であった。

それゆえ。ミダスは、彼らに対して報復処置に徹した。エリア－9を孤立せしめるようにセンサーを張り巡らせ、ケレス側からはネズミ一匹入り込めないように。

それは当然、ミダス市民に対する警告と見せしめの意味をも兼ねていたのである。

夢破れて悄然と肩を落とし。分厚く立ち塞《ふさ》がる拒絶を乗り越える術《すべ》もなく。後悔と絶望でよろめく足を引きずりながら、彼らはケレスで時間《とき》を喰い潰《つぶ》した。

その鼻先で、日ごと夜ごと、ミダスはきらびやかなネオンをまとって現れる。妖しく、淫《みだ》らにその心をくすぐり、だが、決して自ら牙城へ招き入れようとはしない。

時に流されていくだけの無気力さは、やがて精神の荒廃を生み、忍び寄る病魔のようにじわじわとケレスを蝕《むしば》んでいった。

それは、張り巡らせたセンサーが取り除かれ、世代が変わっても留まる気配はなく、いつしか堕ちていくだけのスラムに成り果ててしまったのである。

そんなことは充分すぎるほどに承知の上で、リキは、前を見据えて歩き出したはずだった。

『後ろを振り返るのは、負け犬になったとき』

そう誓って、ガイの元から去っていったのではなかったか。

しかし。

リキがスラムから――いや、ガイの前から忽然《こつぜん》と姿を消した日から三年が過ぎようとした、ある夜。

リキは、突然、スラムに舞い戻ってきた。

不意を突かれて、

「……ッ！」

呆然《ぼうぜん》と目を見開き、二の句が継げずに棒立ちになったガイの目の前で、

「元気そうだな」

懐かしげに笑いかけたリキは、背丈も伸び、見違えるほどに大人びて見えた。

三年前の、あの荒削りな激しさが見事なまでに昇華され、細身の肢体は小気味よくしなり、だが、どこか冷ややかな醒めた目をして……。

「リキ……だよな？」

そんなふうに、思わず口に出して確かめてみたくなるほどに。

リキがスラムに戻ってきたことで、かつての仲間は善くも悪くも活気づいた。程度の差こそあれ、誰もが空白の三年間を覗《のぞ》きたがったからだ。

同時に。それは、取りも直さず、スラム中の視線がリキに集中砲火したということでもあった。

かつてのスラムを象徴した《カリスマ》が、不様な負け犬に落ちぶれた——と。

誰もが、口汚く陰口を叩《たた》く。

『ざまぁねーぜ』

『よっくまぁ、おめおめと戻ってこれたもんだぜ』

『生き恥曝《さら》して、みっともねーだけじゃん』

そんなふうに。誰もかれもが容赦なく、後ろ指を突きつけて嘲笑《あざわら》った。

『バイソン』の名が一世を風靡《ふうび》した頃。リキは、たった一人のパートナーにしか心を許さない『高嶺の花』であった。

しかし。不様に落ちぶれてしまっても、やはり、スラムに咲いた『花』は『華』なのだろう。その『華』が、思いがけず、自分の足下に落ちてきたのである。だったら。拾い上げて愛《め》でるより、

『おもうさま足蹴《あしげ》にして、グチャグチャに踏みにじりたいッ』

そういう歪んだ快感の虜《とりこ》になった者は――数知れない。

だが。リキは黙して語らなかった。

眼前で、どれほどの罵声《ばせい》を浴びせられても。

露骨に、ドギツク挑発されても。

すべては――馬耳東風。

そんな、一切を受け流してたじろぎもしない平静さに焦《じ》れ、何か釈然としない不安感を煽られるのは、『バイソン』のメンバーたちも同じだった。

少なくとも。夢破れてスラムに戻ってくる者は、皆一様にくすぶり続けるものをどこかに引き摺《ず》っていた。

それは、絶望の果てのやりきれなさであったり。

あるいは、自嘲の苦い歪みであり。

果ては――失意の底にうずくまる狂気の影だったりもする。

束の間の残夢を貪《むさぼ》るように、彼らは酒や薬《ドラッグ》に溺《おぼ》れ、過去の幻影から逃避を図って殻に閉じこもるのが常だった。

しかし、リキは何かが違うのだ。

以前のように、ふれたら火傷《やけど》しそうな激しさはない。それどころか、醒めた双眸《そうぼう》は冷たく他人を見下しているようにさえ見える。

なのに。仲間内で噛み締めるようにグラスを干す手つきの、あのゆったりとした穏やかさは何なのか。

ガイには、堅く口を閉ざしたリキの胸の内を推し量る術はない。

だが。それでいいのだ――とあっさり頷いてしまうには、リキの変貌《へんぼう》はあまりに強烈な落差がありすぎた。

＊＊＊＊＊4

ミダス、エリア−3『MISTRAL PARK《ミストラルパーク》』は、大小様々な展示館《パビリオン》が建ち並ぶ、巨大なコンベンション・センターである。

カジノ街をメインに娯楽施設が充実したエリア−1『LHASSA《ラッサ》』をはじめ、訪問客をマネーカードのランクごとにもてなすホテル群を配したエリア−2『FLARE《フレア》』とはまた違った意味で、歓楽街ミダスの側面とも言うべき顔がここに在る。

競り市《オークシヨン》の日は近い。

昼間は閑散とした円形広場にまで活気のある人の声が響きはじめると、いつも以上に、ミダスは急速に熱を帯びていくのだった。

キリエが言ったように、今回は五年ぶりにアカデミー産の初物が出るとあってか、オークションとは一生縁がなさそうなケレスの酒場でも、その噂には事欠かなかった。

そして。リキたちが屯《たむろ》するエルマのアジトでは……。

「いいだろ？　なぁ、行こうぜ」

シドの膝《ひざ》に乗り上げんばかりに身体を寄せて、キリエは熱心に口説いていた。

「見るのは、どうせタダなんだから。野次馬《やじうま》になっておもいっきりハメを外すのも、たまにゃ、いいだろ?　運がよけりゃ、飲み代ぐらいは稼げるかもしれないしさ」

キリエに名指しで口説かれて、まんざら悪い気はしないのか。それとも、耳元で口説かれているうちに、だんだんその気になってきたのか。シドは、

「よぉ、リキ。どうする?」

まるでお伺いを立てるように、かつての頭《ヘッド》を見やった。

だが。オークションなどにはさして興味もなく、わざわざ足を運ぶ気にもならないリキは、

「行きたきゃ、勝手に行けよ。おまえらで……」

けんもほろろのそっけなさであった。

とたん。シドは小さく肩を竦《すく》め、キリエはあからさまにムッ…と眉根を寄せた。

「なんだよ。人の言うことに、ケチばっかつけんなよ。あんただって、どうせ、ヒマを持て余してんだろぉ?」

何のかんのと、いまだにリキの意向を最優先させるメンバーたちの不甲斐《ふがい》なさを詰《なじ》るように、キリエはブチブチと文句を垂れる。

「それとも。行きたくない、特別の理由《わけ》でもあんのかよ?」

その矛先をリキに向けて。

「もしかして、顔を突き合わせちゃマズイ奴がいるわけ?」

目も口も尖《とが》らせたまま——絡む。

いいかげん煩《わずら》わしくなって、リキは投げやりに言った。

「……別に」

すると。

「なら、決まりだな。たまにゃあ、集団デートも悪くねーよな」

どこか皮肉めいた口調で、キリエがにんまりと笑った。

それを横目に、リキは聞き取れないほど低く吐き捨てた。

(こいつは――好かねぇ……)

まだ、十七歳にもならないキリエの、妙にスカした訳知り顔が鼻につくからか？

――違う。

三歳も年下のガキに、鼻先でいいようにあしらわれたからなのか？

――そうではない。

リキが否定したかったのは、事あるごとにうるさく絡んでくるキリエの視線《オッド・アイ》ではなく、その背後にダブる、三年前のリキ自身であった。

井の中の蛙《かわず》であることも知らず。

持て余す激情の捨て処《どころ》すら摑《つか》めず。

ただ、どん底で喘いでいたあの頃の――幻覚《イリュージョン》。

最初は、別に、何とも思わなかった。ただ、二色に様変わりしたオッド・アイが珍しいというだけで、気にもならなかった。

それが、いつの頃からだったろう。キリエの言動に、ガキの頃の、青臭い自分の《影》を重ねて見るようになったのは……。

以前の自分なら、きっと、あんなふうにスカした台詞《せりふ》を投げつけたに違いない。

五年前だったら。たぶん……そうだったかもしれない。

いったんそれを自覚してしまうと、記憶は、過去を暴《あば》き立てるようにズルズルと絡みついてきた。三年間の空白を一気に凝縮してしまうかのように。

……やりきれなかった。

そこにいるはずのない、かつての自分を見せつけられる錯覚は、

『そういや、あんな頃もあったよな』

——などという感慨とは無縁の、思わず、唇を噛み締めたくなるような苦々しさを誘った。

リキが古巣へ戻ってきたのは、ここでなら誰の視線を意識することもなく、深呼吸ができそうな気がしたからだった。

キリキリと疼《うず》きしぶる喉を潤し。強《こわ》ばりついた四肢をゆったり伸ばし。好きなときに好きなだけ、自由を貪れるのではないか——と。

おかしなもので。『バイソン』を抜けると宣言したあの頃は、そんな、退屈で何の変化も刺激もない毎日にヘドが出そうだったのに、今は、それがたまらなく恋しい。

一度は見捨てたモノに、癒《いや》されたがっている自分の弱さを嘲笑うより。

不様な負け犬の醜態を曝す屈辱より。

リキには、もっと――ずっと切羽詰まった飢渇があった。

だからといって、今更、何が変わるわけでもないのだが。

擦《す》り切れたプライド。

熟《う》れて腐りきった、身体。

ナマって錆《さび》ついた《バジュラ》の感覚は、いまだ戻らない。

それでも。殺伐としていながら、息苦しいほどの微熱を孕んだ古巣にどっぷり首まで浸かっていれば、消えないはずの過去も次第に薄れていくような気がしたのである。

しかし。キリエの存在は、まったくの誤算であった。

自分はこんなにも変わってしまったのに、なぜ――どうして、かつての仲間だけは不変だと思い込んでしまったのか。

リキはそこに、己の自惚《うぬぼ》れと傲慢《ごうまん》さを見せつけられたような気がして、今更ながらに臍《ほぞ》を噛んだ。

キリエの声を聞くだけで、やたら口の中が苦い。咬み砕いて無理に飲み下せば、チクチクと古傷が疼いた。

元来、静観して時を待つタイプではないのだ。三年という歳月の中で、耐えることを学んだにすぎない。

いや。プライドも意地も根こそぎ毟《むし》り取られて、忍従することを強要された――と言った方がいいだろうか。

スラムでの中傷も嘲笑も、それに比べれば取るに足らないことであった。

今更、かき捨てる恥など何もない。

少なくともリキは、そう思ったからこそ古巣へ戻る気にもなったのだ。

なのに。

キリエは。

そこにいるだけで、ピリピリと過去を刺激する。

いっぱしのワルぶった、ウブで傲慢だった頃の記憶を、リキの目の前で鮮明に再現してみせるのだった。

それで、芯から平静でいられるはずがない。

双眸は苦々しく気色ばみ、ともすれば、醒めた仮面がずり落ちそうになるのだった。


ミダス標準時、九：二〇。

オークション当日。不夜城ミダスは、昨晩からの興奮をそのまま引き摺っているかのように朝から賑《にぎ》わっていた。

天気は上々。お祭り騒ぎに相応《ふさわ》しく、蒼穹《そうきゅう》には雲ひとつない。

そんな中。リキは、

「ほら、チンタラしてんなよ。シャキシャキ行こうぜ」

やけにハイテンションなキリエに急《せ》かされるまま、ガイと肩を並べて、ミストラルパークへと足を向けた。

「キリエの奴、えらくはしゃいでやがるぜ」

「ガキ、だからだろ」

「ガキ……ねぇ」

「なんだよ。その、妙な含み笑いは」

「いや。ちょっと、思い出しちゃってさ」

「何を？」

「俺たちがコロニーにやって来た年にも、アカデミー産のペットが出るっていうんで、すごい盛り上がってたよな。リキなんか『スゲェ』を連発して、一番はしゃいでたような気がする」

「…………」

「そういうとこ、似てるよ。おまえとキリエ。なんとなく……」

「あんなクソガキと一緒にすんな」

「あー、そうだな。おまえの方が、もっと大人だったよな。なんたって、俺が迷子になったら困るからって、ずーっと最後まで、俺の手を握って離さなかった……イテッ」

「──黙って歩けよ、ガイ」

「なんだよ。いきなり殴るなよ。せっかく色々思い出してきたのに……」

「いいから、もう、黙ってろッ」

「——はい、はい」

開館《オープン》にはまだ間があるというのに、オークション会場への道はすでに、どこもかしこも人波でごった返している。それだけで、リキはもう、うんざりだった。

「スゲェなぁ。人、人、人のオンパレードだぜ。さっすが、オークション。熱気でムンムンしてらぁ」

まんざら皮肉とも思えないような感嘆を込めて、キリエが双眸《め》を瞠った。

すると。鼻先でせせら笑うように、ルークが唇の端を捲《めく》り上げた。

「オークションなんてのは、結局、色ボケした成金が集団でラリってるようなもんだからな。俺たちがスタウトでメロメロになってんのと、そう大して変わりゃしねーよ」

「それにしたって、面白いぜ。人さまざまで……。アカデミー産のペットなんて、めったに拝めないもんな。ああやって、ひっきりなしに展示用《ブース》のショーウィンドーに集《たか》ってさ。何考えてんだろうな、あいつら」

別に、誰を名指して問いかけたわけではない。それでも、賑わう人波から仲間内へと戻したキリエの視線は、半ば無意識にリキの黒瞳を探り当てていた。

「リキ——あんた、どう思う?」

いつもだったら。意にも介さずにそっぽを向くリキが、珍しく、じっとキリエのオッド・アイを見返していた。

「最初は——誰でも思うのさ。毎日、こういうのとヤレたら……って、な。それで次は、競り値の最低ラインが目に入って、ギョッ…と夢から醒めるんだ。金も暇も有り余ってる奴と、何のコネも持てない奴。とどのつまりは特権階級との差を嫌でも自覚させられて、ゲンナリすんのさ」

「へぇー。いつもムッツリ黙り込んでる奴がたまに口を開くと、過激だぜぇ」

半ば驚きの目を向けて、面白そうにキリエが笑った。

そんなキリエを横目で眺めながら、ガイたちは。

(おいおい、また、始まっちまったぜ)

それぞれが、

(寄るとさわると、これだもんな。どうして、こう、相性が悪いかねェ)

思い思いに、

(バカヤローが。過激なのは、オメーの、その口だよ)

胸の内で、

(懲《こ》りねーよな、キリエも。リキ相手に減らず口叩くなんざ、百年早いんだよ)

どんよりとため息を洩《も》らす。

「そんな御大層なもんでもねぇだろ?」

「…ンじゃ、歳《とし》喰った分だけ、分別《ジジ》くさくなったってわけ?」

「いつまでも、ケツの青いガキみたいなこと、言ってられねぇからな」

「ハン。たった三年ぽっちで、えらくご立派におなりで……。要するに、スラムでトップをブッちぎってた『バイソン』の頭《ヘッド》も、ごくフツーの男になっちまったわけだ。ガッカリだよなぁ、ホント。もしかして、誰かに尻の毛まで抜かれちまったとかさ。そんなんじゃねーの？」

とたん。ノリスが、有無を言わさずキリエの後頭部を殴りつけた。

「……ッてーな。なんだよッ」

「バカヤローがッ。いいかげんにしろ」

「フン。本当のこと言って、何が悪いんだよッ？」

しかし。その、踏ん反り返った強気も、

「そういう台詞はな、キリエ。ちゃんと自分だけのパンツを穿《は》けるようになってから、ほざけよ。こいつらが甘々の安全パイだと思ってフカシ扱《こ》いてると、そのうち泣きを見るぞ」

そっけなく、だが、たっぷりと毒を含んだあからさまな口調にゾワリと軋《きし》んだ。

リキの言うそれが、

『…バイソンのおこぼれを拾い食いしてるだけのガキが、大きな口を叩くなよ』

——という嘲笑に聞こえたのだった。

ふと、目をやれば。シドもノリスも、それと知れる苦笑を片頬《ほお》に張り付けている。あからさまに唇の端を吊《つ》り上げたルークは、言わずもがなだったし。いつもは何かと仲裁を買って出るガイにしてからが、かすかにため息を洩らしただけだった。

（なん……だよッ）

キリエは、思わず気色ばむ。不意に、自分だけが居場所を無くしてしまったような錯覚に、頭の芯がズクリと疼いた。

「おれは、自分を安売りしないだけだッ！」

わけのわからない喪失感と灼けつくような憤怒を込めて、キリエが吐き捨てる。

そんなギリギリに尖ったキリエの視線を、リキは、

「だったら。その、キャンキャンうるせぇ口を閉じてろ。耳障りだ」

容赦なく鼻先で叩き落とした。

リキとキリエを取り巻くその空間だけが、束の間、喧噪《けんそう》を遠ざける。

それは、まるで……。質の違う熱と、混じり合わない色彩がせめぎ合うような沈黙だった。

キリエは、リキを見据えたまま身じろぎもしない。

いや。そうではなく……。

いつもは投げやりに逸《そ》らされていたリキの漆黒の視線に、初めて真っ向から喰いつかれた衝撃に瞬きもできなかった——というべきか。

じわり……と。キリエの背に冷や汗が滲《にじ》む。

そして。何とも形容のしがたい息苦しさに、喉が渇いてどうしようもなくなった——そんなとき。

「リキ。行こうぜ」

二人の睨《にら》み合いに水を差すように、ガイが、やんわりリキの肩を摑んだ。

それだけで、剣呑《けんのん》なリキの黒瞳がスッ…と色を変える。

キリエは。それでようやく、リキの呪縛《じゅばく》から解き放たれた安堵《あんど》感にホッ…と胸をなで下ろし、半ば無意識に、舌で何度も唇を湿らせた。

だが。身体の節々は不様に強ばりついたままで、

「おら、キリエ。ボヤボヤすんな。行くぜ」

シドにしこたま肩を小突かれて、思わず、その場でつんのめりそうになった。

「…ったく。ど素人がリキにケンカ売ろうなんざ、百万年早いんだよ」

「そう、そう。まっ、ションベンちびらなかっただけ、マシだがよ」

「違うだろぉ？　あんなのはガン付けにもなってねーって」

「まぁ、どっちにしろ、ガイに感謝すんだな、キリエ」

そんな、言いたい放題扱《こ》き下ろされて。キリエは、今更のようにムラムラと負けん気がもたげてきた。

「なんで、おれが、ガイに恩義を感じなきゃならねーんだよ」

ある意味、キリエの立ち直りの早さは絶品であった。

しかし。

「そんなこともわかんねーから、おめーはガキなんだよ」

もひとつ、おもうさま頭を撲《は》られて、キリエは完全にブスくれた。

(ガキ、ガキ……言うなッ。なんだよ、たった三つ違いで、おまえらはもう、人生捨てたジジイじゃねーかよッ！)

何かにつけて『早熟』の二文字が付いて回る『バイソン』ではあったが。族の頭が抜けただけで揃って人生を投げ捨てるには、早すぎるリタイヤだ。

それとも。それで悔いが残らないほど、完全燃焼をしてしまったとでも言うのか。

だったら。

なぜ？

いまだにツルんでいる？

拠り所となる《器》は、とうに消滅してしまったというのに……。

「……くそッ」

キリエは、肩を並べて先を行くリキとガイの背を睨んで、小さく吐き捨てる。

（今に見てやがれ。チャンスさえありゃ、おれだって……）

——と。

幸運は、ただじっと待っているだけでは手に入らない。

わかってはいても、スラムでは、そのきっかけを拾うこともままならない。

リキが『バイソン』を抜けたのは、ミダスで、なにがしかの『チャンス』を確実にモノにしたからだと。噂に聞いた。

そのとき。リキは——十五か、十六歳。

だったら。リキにできて、自分にできないことはない。キリエは、そう思っていた。

それにしても……と。ふと、キリエは眉を寄せる。

キリエは、いまいち、リキとガイの相関性がよくわからない。

いや。ただならぬ関係というのは一目瞭然《いちもくりょうぜん》なのだが……。

リキとガイが『ガーディアン』にいた頃からすでに肉体関係にあったというのは、周知の事実だ。それも、ガイに対するリキの執着がただならなかったのだと。

だから。シドの引きで、初めてガイと顔を合わせたとき。キリエは、スラムでは伝説の『バイソン』のナンバー2が、ごく普通の、しごく穏やかな少年であったことに思わぬ肩透かしを喰ったような気がして、

(なんだよ。ぜんっぜん、フツーじゃん。腕っ節があるようにも見えないし。こんなんでナンバー2を張れるんなら、おれだって……)

噂と実像のギャップに、ひどく憤慨したものだった。

しかし。

リキがスラムに戻ってきて、キリエは、初めて知ったのだ。ガイが『バイソン』のナンバー2と呼ばれた、その理由を。

いちいち言葉にしなくても、通じ合えるモノがある強さ。

そして。否応なく、自覚させられたのだ。『ペアリング・パートナー』という言葉の深意と、何とも言いがたい嫉妬めいた感情の発露を。

エリア－9では、十二歳までの子どもはすべて、養育センター『ガーディアン』で一括管理保育される。

なぜなら。スラムという激悪な環境の中では、子どもの生存率は著しく低下するからである。

むろん、それもあったが。根本的な問題点は、男に比べ女の出生率が極端に低いからなのだった。

それが、アモイという惑星風土の特質なのか。それとも、別に、何らかの因子があるのかはわからない。

ただ。ミダスの中で、唯一、何の人口管理も遺伝子操作も行われていないケレスは、独立時に掲げた『人間の尊厳』を頑なに世襲するかのように、母体による自然出産が基本になっていた。

故に。絶対数の少ない女たちは男よりもはるかに優遇され、子どもを産み続ける意志さえあれば、隔離された快適な環境で過ごすことができるのだ。

つまり。女として出産可能である限り、十三歳になれば強制的に『ガーディアン』から自立させられる男と違って、腐臭のこもったスラムのコロニーに居住しなくてもよい——ということだった。

当然。スラムの住人の約九十九パーセントは、子どもの《種》を残すことはできても、ほかに何も生み出せない《雄《オトコ》》だけ——ということになる。

よって。同性間によるセックスが基本のスラムでは《家族》という血縁関係の形態は皆無であり、形式張った《婚姻》という概念すらもない。

エリア－9『ケレス』は、そういう、歪《いびつ》な閉塞社会なのだった。

もっとも。そんなケレスを《スラム》と蔑むミダス市民にしてからが、歓楽街という巨大なケージの中で飼われている縛奴《ばくど》なのだったが。

それでも。

やはり。

人間というものは、互いを満たし、癒し合う者の存在を求める本能は切実なのだろう。そういう意味で。情愛以外、何の誓約にも縛られないが、どうにも離れがたい《同棲《どうせい》》相手のことを『ペアリング・パートナー』と呼ぶのだ。

ギブ・アンド・テイクの、後腐れのないセックス・フレンドには困らない。だが。生涯のパートナーを選ぶのなら、セックスを含めて相性の良い奴をじっくり選びたい。

自分にとって、どこの誰が一番相応しいのか……。

そんなふうに思って、理想のハードルばかりが高くなる連中は、それこそ、腐るほどいるのだが。

シドの誘いで『バイソン』の連中とツルむようになったのも、ひとつには、今はゴースト・ネームになってはしまったが、スラムでは依然、ステータス・シンボルとしての『バイソン』にそれだけの価値があったからだ。

事実。彼らは、その気になれば日替わりでいけるほど、その手の相手には不自由していなかった。だから……だろうか。キリエも何度か彼らと関係は持ったが、力ずくで無理強いをされたことは一度もなかった。

しかし。そのときですら、ガイは妙に身持ちが固かった。キリエが誘いをかけても、やんわりいなすだけで、まともに取り合ってもくれない。

メンバーの中でただ一人、自分になびかない奴がいる。それは、妙に、キリエのプライドを掻《か》き毟った。

「あんた、もしかして、インポじゃねーの?」

どうやっても堕ちないガイに焦れてそんな暴言を吐いたとき、逆に、

「悪いな。ションベン臭いガキは趣味じゃない」

はっきり、止《とど》めを刺されてしまった。

そのときの屈辱を、キリエは忘れていない。

「…ったく。バカヤローだな、おめーは。何でも自分中心に回ってるなんて、自惚れてんじゃねーよ」

「おまえさぁ、あいつを誰だと思ってるわけ? リキとペアリングやってた奴だぜ。言い寄ってくる奴なんざ、選《よ》り取り見取りよ。選ぶ権利があるのは、あいつの方。おまえじゃねぇの」

「まっ、気にすんな。リキに比べりゃ、誰だってガキだぜ」

たぶん。そのときからだ。本当の意味で、『バイソンのリキ』を意識したのは。

それから、二年。『バイソン』の連中にいまだガキ扱いされて、キリエは、胸の中でグツグツと煮えたぎるモノを感じないではいられなかった。

一方、リキは。

（くそッ。ムカつくぜ）

込み上げる苦汁は容易に去らなかった。キリエの挑発的な態度は、今に始まったことではない。まして、賑わう人いきれに酔うような、柔《やわ》な神経をしているわけでもない。

なのに、思わずゲロを吐きたくなるような胸くそ悪さがあった。

それは。人波に押し流されるようにして歩き出すと、身体の芯がチリチリ焦げるような苛立ちに変わり。広場の中央に据えつけられたオークション専用のコンパートメントに近づくにつれ、リキの胃をキリキリ締めつけるのだった。

幾重にも人垣が重なるその先に、オークションの目玉となるであろう《ペット》の一群がいた。

……とはいっても。それらは、あくまで、競売にかけられるペットの一般向けサンプルであって。本番のオークションともなれば、各会場《ホール》ごとに、実に多種多様のペットたちが売買されるのである。

生産センター別に区切られた豪華な部屋の中で優雅にくつろぎながら、ペットたちは別段臆した様子もなく、自分の出番を待っている。

さすが、各センターの『顔見せ』を張るペットたちである。性別、肌の色、毛髪や瞳の色は様々でも、均斉のとれた肢体のしなやかさと端整な容貌は噂に違《たが》わず、優劣がつけがたかった。

最近の一番の売れ筋は、異種交配の人型有尾種《リムリル》である。サイズも、交配種も多彩で、それぞれが特色のある個性を打ち出していた。

中でも。ガロット産の『エクシル』は、優美な容姿も尻尾《しっぽ》の毛並みの良さも群を抜いている。

また。ガロット産よりは二ランクほど落ちるが、『エクシル』に限らず、鑑賞専用のリムリルがすべて雌体《フィメール》のセックスレスであるのに対し、ラクシア産の『メルーダ』は番《つが》いで飼えば子どもを産ませて繁殖も可能だというので、地方の成金や連邦の特権階級の間では、にわかブリーダー熱が高まっている。

そんな多種多彩のペット・ブースの中にあって、ひときわ目を魅くのが、オークションの花形と言われるアカデミー産のペットだった。

透ける金髪。肌理《きめ》の細かな白い肌。紅唇はしっとりと濡《ぬ》れ、雌雄《セックス》の区別もつきかねるほどに幼い華奢《きゃしゃ》な線の細さが、逆に、ゾクリとくるような異様な色香を放っていた。

もちろん。その分、競り値《オープン・プライス》の下限は通常の十倍という桁違《けたちが》いの高値が付いていたが。

それでも、オークションになれば、更にその数倍は確実に跳ね上がるに違いない。

金と時間を惜しまず、精魂を込めて磨き上げた『芸術』とまで言わしめる彼らには、そう思わせるだけのものが確かにあった。

中央都市タナグラに公認されたペット・ショップの中で、科学アカデミー・センターはブランド品の最高傑作と言われる《純血種》を売ることで、つとに評判が高かった。

時代の最先端を走るバイオテクノロジーを駆使して造り上げられる——愛玩具《あいがんぐ》。

しかも。人型の模造品《ヒューマン・レプリカ》ではなく、血液、遺伝子等の詳細を極めた完璧《パーフェクト》な者だけが誕生を認められる《人間《オリジナル》》なのだ。それゆえに、アカデミー産のペットは、鮮麗された容姿そのままにすこぶるプライドが高かった。

ガラス越しに注がれる、羨望と嫉妬の交錯した視線すら平然と無視できる傲慢さは、アカデミー産のペットにだけ許された特権と言っても過言ではあるまい。『血統書』という唯一の肩書きが、彼らの揺るぎない自信と誇りの象徴でもあった。

むろん。どれほどの付加価値があろうと、ペットである彼らには《人間《ひと》》としての尊厳など、まったく必要とされなかったが。

年に一度、華々しく開催されるミダスの『ペット・オークション』は、タナグラの新しい産業として半ば公然と定着しつつある。

しかし。ほんの五十年前までは、対外的にはすこぶる悪評が高かったのもまた、厳然たる事実であった。

『時代錯誤《アナクロニズム》の人身売買』

——だの。

『人権蹂躙《じゅうりん》の最たるもの』

——などと。連邦都市からの非難の嵐は、あげつらえば数限りなかった。

いや。オークションに限らず、享楽と退廃の象徴《シンボル》そのものであるミダスの存在自体、彼らの神経を逆なでにする代物だったと言えよう。

昼も夜もなく、人種も性別も、人間としてのモラルさえ問わない快楽の虚城。それがミダスの《表》の顔であるとすれば、常に策謀と金が暗躍する《裏》の顔は、もっと陰惨で醜悪な現実であった。

まして。その巣窟《そうくつ》をふところに抱えているのが、あの——生理的嫌悪に引き攣ったプライドを容赦なく掻き毟るかのようなタナグラであれば尚更《なおさら》であった。

通常、自由都市《フリーダム・シティー》は幾つもの連邦を形成し、経済的にも政治的にも、持ちつ持たれつ《ギブ・アンド・テイク》の関係を維持して成り立っている。

だが。ひと口に自治都市として独立しているとはいえ、すべてにおいて完璧《パーフェクト》に自立している都市はそう多くはない。特出した資源も、これといってめぼしい産業も持たない小都市群は、ひと握りの大都市によって傘下に吸収され、いわば連邦とは名ばかりの、実質的には半ば植民地化した隷属的自治区にほかならなかった。

その中にあって。どの連邦にも属さず、いかなる干渉も受けつけず、どこからの圧力にも屈しない——それがタナグラであった。

ガラン星系第十二惑星、アモイ。

法に追われる犯罪者すらも訪れたことのない、辺境の小惑星。

目新しい資源も鉱脈もなく、知的生物もいない。数年ごとに繰り返される連邦政府の査察も、たった一度きりの探査で打ち切られ、二度と顧みられることはなかった。

そんな、長い年月、どの連邦による開拓も入植も行われなかった貧星に、ある年初めて、『アビス』と呼ばれる頭脳集団《シンクタンク》の一艇《てい》が降り立ったのである。

既成の概念には執着せず。政治的な圧力や宗教的禁忌にも囚《とら》われない集中実験都市を目指し、『タナグラ』は発足した。

人類の英知と更なる繁栄を期して、数多くの科学者がここへ結集した。そして、巨大コンピューター・システム《ユピテル》を生み出したのである。

あらゆる情報と膨大な資料《データ》を記憶バンクにストックした人工頭脳は、学習を重ねることでより高度な自我を有し、ある日突然、自己の存在価値に目覚めた。

いや。創造主である人間に言わせれば、発狂したとしか思えないような妄挙に出たのである。

『権力は、それを行使するに相応しい者が行使すべきである』

――と。

つまり。コンピューターが人間に従属を強要するという、前代未聞の暴挙に。

タナグラの中枢である《ユピテル》は、その権限において、都市の覇権を人間から奪い取ったのである。

不変の星辰《かがやき》を散りばめたラベンダー・ブルーの宙《そら》を仰ぎ見る、かつての貧星アモイ。

連邦諸都市がその事実に気付き、あわてふためいたときすでに、タナグラは、人間を飼い慣らす異形の都市に変貌を遂げていた。

そして。喧噪《けんそう》を極める周囲の雑音を一切無視し、正確かつ迅速に、寒気を覚えるような威厳すら秘めて伸し上がってきたのだった。

機能美と合理性を極めた機械都市《メタリック・シティー》は整然とし、無駄のない清潔感にあふれている。しかし。それは、人の温《ぬく》もりどころか、人間らしい垢《あか》さえ寄せつけない、冷たく冴えた美観であった。

街中——至る所に、さりげなく、かつ執拗な視線《カメラ・アイ》がある。それは取りも直さず、《ユピテル》の自我が末端神経にまで網羅されているということだった。

《ユピテル》は創造主たる人類の常識を超え、恐怖と震撼《しんかん》の毒を撒《ま》き散らし、いったい何を目指したのか。

彼自身が選び、教育を施した頭脳集団と最新気鋭のアンドロイド群にかしずかれ、その名に由来する『万能の神』に成り得たのか。

血肉を分けた人間としての『絆』を否定し、限りある『生』を拒絶することによって繁栄を極めようとするタナグラは、まさに——《ユピテル》のエゴと妄想が産み出した奇形児にほかならない。

『死』という避けがたい肉体の限界を持つ人間は、いずれ、機械に奉仕するためにだけ作り出されていく——そんな未来の縮図を垣間見《かいまみ》せるような現実がそこにある。

連邦都市が憎悪を剝き出しにして声高に辛辣《しんらつ》な批判を吐くのも、むしろ、当然だったかもしれない。

いつの時代でも、絶えず、『強者』は『弱者』を喰らって肥え太るのである。それは、過去の歴史を紐解《ひもと》くまでもなく、連邦の執権者である彼ら自身が自ら実践してきたことでもあった。

ならば。足元にひれ伏す隷属都市が明日の我が身でないと、いったい、誰が断言できるだろう。

何の禁忌《タブー》も、束縛もない。

そんな、時代を先取りする生命工学《バイオテクノロジー》と最新の電子工学《エレクトロニクス》を駆使し、タナグラは日ごとに確固たる地位を築いていった。

生理的おぞましさと底知れぬ脅威を感じながら、その一方で、我が手を汚さずに得られる『物』への依存度が高まるジレンマに身をよじりつつ、連邦は互いの顔色を窺いはじめた。

そして。いつしか。公然と名指した批判の声も、『人権蹂躙の悪制撤廃《ペット・オークション》』を叫ぶ声も鳴りをひそめていったのである。

それどころか。わずか五十年で、人としてのモラルも理性も、まるで一気に坂を転がり落ちるかのように堕ちてしまった。

ミダスで顔を売り、名を上げることこそが権力や財力のバロメーターになるといったような、愚にもつかない風潮さえ蔓延《はびこ》り、人々はこぞってそれに烏合した。

『人生で最も過激でスリリングな快楽は、他人の生殺与奪の権限を握ることだ』

そんな言葉が平然とささやかれ、人々は金にあかせて不夜城を闊歩《かっぽ》し、ペット・オークションに群がっていく。

時の流れに善くも悪くも順応してしまうのが、人間の性《さが》なのだろうか。

『極めれば、悪もまた善なり』

――という現実の前では、人間の品性も欠け、理性の箍《たが》も外れてしまうものなのかもしれない。

本命中の超本命と言われるアカデミー産のペットが出品されるS級オークションの開始が一五：〇〇ということもあってか、正后を過ぎても、ミストラルパークへ流れ込む人波は引きも切らなかった。

熱気を孕んだ喧噪は各パビリオンを取り囲むようにあふれ、淀《よど》み、人いきれが吐き出す風の生温《なまぬる》さと相まって、妙に肌にベトついた。

その不快さに、リキは、思わず舌打ちをせずにはいられなかった。

そのとき――だった。

不意に、突き刺すような視線を感じたのは……。

錯覚ではない。間断なく押し寄せる人波に途切れもせず、それは執拗にまとわりついてきた。

(――なん…だ？)

人の流れに逆らって、思わず足を止めずにはいられないほど、きつく。

「ヤーね。急に止まらないでよッ」

「何、突っ立ってんだ、こいつはッ」

「オイ、邪魔だッ」

あからさまな非難と露骨な罵声に肩を小突かれながら、リキは、ゆっくりと視線を巡らせた。

「リキ？　どうしたんだ？」

つられて立ち止まったガイが、怪訝《けげん》そうに問いかける。

しかし。まとわり付く視線の不快さが先に立って、リキは返事をする気にもなれなかった。

（どこだッ？）

誰……とも。

何……ともわからない、苛立たしさ。

それが、眉間《みけん》の縦ジワを誘って眦《まなじり》が鋭く切れ上がった――瞬間。

いきなり、視界が弾《はじ》けた。

まるで。どんよりと重い闇が、突然、霧散してしまったかのように。

そうして。不躾《ぶしつけ》な視線の主が、視界をザックリと抉《えぐ》るようにリキの双眸《め》に飛び込んできた。

――とたん。

「……ッ！」

リキは、脳天から電撃を喰らったように、呆然とその場で立ち竦んだ。

視界を泳ぐように行き来する人影の中、なぜか、相手の顔だけがくっきりと鮮明に浮き上がって見えた。

最高級と絶賛されるアカデミー産のペットも思わず翳《かす》んでしまうような、彫りの深い美貌だった。

いや——過ぎたる《美》は、それだけで畏怖すら誘うのだろうか。黒のシェード・グラスに隠された双眸こそ見えなかったが、その視線はまごうことなくリキを見据えたまま、わずかに揺らぎもしなかった。

トクトクトクトクトク………。

鼓動は逸《はや》る。

愕然《がくぜん》と見開かれた双眸の中で。

不様に硬直した身体の——其処彼処《そこかしこ》で。

ねっとりと膿んでしまった時間の流れを、ひたすら逆行するかのように。

ドクッ。ドクッ。ドクッ。ドクッ。ドクッ………。

荒ぶる拍動が容赦なく、喉を掻き毟る。蒼ざめた記憶の目をこじ開けるように。

——と。不意に、

「おい——リキ。知ってる奴か？」

リキと彼とが身じろぎもせずに吐き出す異質を弾くように、ガイが囁《ささや》いた。

「まさ…か……だろ？」

わずかにかすれた声音には、咬み殺しきれない動揺が透ける。

それを知ってか、知らずか。ガイは美貌の主に当てた視線を逸らしもせず、

「……だよな」

ボソリ——と洩らした。

言葉にするにはぎこちない、大気のたわみがそこにあった。

すると。それを土足で蹴散らすように、背後から、キリエが小さく口笛を鳴らした。

「スゲーな、おい。見てみろよ。長髪《ロング》だぜ……。それも、金髪《ブロンディー》」

興奮気味に言葉尻を跳ね上げ、ぎくしゃくと顎《あご》をしゃくってみせる。

長髪の——ＢＬＯＮＤＹ《ブロンディー》。

キリエが半ば呆然と目を瞠るのも、無理はなかった。

己が権力をひけらかすように、豪奢に着膨れた人込みの中。実にシンプルで機能的にデザインされた服装《コスチューム》は、かえって人目を魅《ひ》く。

まして。それがタナグラ特有の正服《ボディー・スーツ》を着た《エリート》であれば、なおのこと。

一般に、タナグラにおける《エリート》は、アンドロイドと区別するために総じて長髪であった。

バランスの取れた体型《プロポーション》。

知的な美貌《マスク》。

だが。ＩＱ３００以上に開発された《脳》以外は生殖能力も持たない人工体のエリートたち。

彼らは『ノーラム』と呼ばれる階級制度に従って、髪の色を染め分けていた。

対外的な実務——いわば、タナグラの《顔》である執政者は黒髪（ＯＮＹＸ《オニキス》）。そのアドバイザーとして、各専門分野が能力別に緋（ＲＵＢＹ《ルビー》）翠（ＪＡＤＥ《ジェイド》）蒼（ＳＡＰＰＨＩＲＥ《サファイア》）と分かれ、それぞれの最高責任者が銀髪（ＰＬＡＴＩＮＡ《プラチナ》）となっている。

そして。エリート中のエリートと言われ、《ユピテル》と直接言葉を交わす特権を持つのが金髪（BLONDY）であった。

スラムの雑種ふぜいが、タナグラの『美神』とも称賛されるブロンディーを、これほど間近で拝めるとは……。まさに、千載一遇の幸運としか言いようがなかった。

それゆえ、

「よぉ、あいつ——まだ、こっち見てるぜ。おれたちに気があんのかな？　手でも、振ってやろうか？」

どこか上擦ったキリエの軽口は、仲間内の、いつものジョークであったはずなのだ。

そうやって、誰かがお決まりのボケを突っ込み。

あるいは、皮肉まじりの毒舌を吐き捨て。

最後は、皆で大笑いをして——締める。

それが、いつものパターンであった。

なのに。

「バカ、ぬかすんじゃねぇッ」

リキは、不機嫌に声を荒げてしまった。

「そんな寝言をほざいてるヒマがあったら、ツラ洗って出直して来いッ」

『オークション』という毒気に当てられてしまったのは、キリエか？

それとも——リキ、なのか。

「おい、リキ、何マジになってんだよ?」

「そうそう。いつものジョークじゃねーか」

シドが、ノリスが、半ば呆れたようにリキを宥《なだ》めにかかる。

それでも、リキは。

「なんだよ。向こうが、ガンつけてんだぜ。チャンスじゃねーか。そうだろ?」

妙に浮かれまくってハイテンションになっているキリエの口調が、

「ブロンディーだぜ。わかってんのかよ。ミダスじゃ、めったに顔も拝めないような、超エリートなんだぜぇ?」

熱のこもったオッド・アイが。無性に癇《かん》にさわってならなかった。

なのに。

「ダメで、もともとさ。万が一、ひょっとして…ってこともあるだろ? 指くわえて見逃す手はねーよ。行くぜ、おれは……」

その瞬間。

怖いもの知らずを絵に描いたようなキリエの言いざまに、リキは、眉間を歪めて黙りこくってしまった。

とっさに、返す言葉に詰まったからではない。

知らず知らずのうちに握り締めた拳が震え出すのも。喉の奥がやたら苦いのも。キリエと自分の酷似性を嫌というほど見せつけられたような気がしたからだった。

（なん…でッ）

リキは、ギリギリと奥歯を軋らせる。

なぜ？

どうして？

よりにもよって、この時期《とき》なのか——と。

そんなリキを前にして、キリエは、勝ち誇ったような薄ら笑いを浮かべた。

先ほどとは逆に、初めて、ぐうの音も出ないほどにリキをへこませることができた快感に、身体の芯がジン…と熱くなる。

「タマを無くしちまった《カリスマ》ってのは、哀れだよなぁ。リキ、あんたの時代は終わっちまったんだぜ」

たとえ。言葉だけにしろ、リキの横っ面をおもうさま張り飛ばす快感は、格別だった。癖になってしまいそうなほどに……。

「…ンじゃあ、な」

リキとガイの間を裂くように身を乗り出し、キリエは、意気揚々と足早に歩き出した。

「いいのか、リキ。止めなくても……」

人波に見え隠れするキリエの後ろ姿を目で追いながら、心配そうにガイが言った。

だが。リキは忌《い》ま忌ましげに、一言吐き捨てただけだった。

「勝手にするさ」

それでも。やはり、苦い疼きが残った。

キリエの暴言にではなく、自分自身に対しての……。

リキは、キリエの背中には目もくれず、その先にあるブロンディーの存在を確かめるように、再度、視線を投げた。

すると。

——まるで。

それを予期していたかのように、彼が嗤《わら》った。

薄い唇の端をわずかに捲り上げただけの——冷笑。

見間違いでも、錯覚でもない。

彼は、確かに嗤ったのだ。リキを嘲るように。

その瞬間。リキは、身体が芯から焦げるような痛憤に肌を粒立たせた。

鼻先に突きつけられた冷笑を叩き落とし、おもうさま踏みにじってやりたい衝動に駆られて、目の前が赤く翳む。

そして。

人波に流されて、それっきり、キリエの後ろ姿も彼の美貌も見えなくなった。

リキはガイに促されて、歩き出す。むっつりと唇を噛んで。

何とも形容しがたい重苦しさを下腹に抱え込んだまま……。

＊＊＊＊＊5

その夜。リキは、場末のショット・バーで独り酒をあおっていた。

いつもの、馴染《なじ》みの酒場《クラブ》ではない。

誰にも煩《わずら》わされずに、ただ酒が飲みたくてフラリと立ち寄ったそこは、まるで、微熱を孕《はら》んだ深海のようだった。

カウンターの一番奥。地下ホールの、野太い嬌声《きょうせい》と野次《やじ》まじりに盛り上がる球突きゲーム場とは一線を画するように、薄暗い照明にグラスを持つ手元だけが蒼白《あおじろ》く浮き上がる。

グラスを干す手つきが、いつもより数段早い。なのに、少しも酔えなかった。

頭の芯《しん》を貫くのは、ミストラルパークでの邂逅《かいこう》。

人波を裂いて投げつけられた、視線の毒。

際立つ美貌《びぼう》の、鮮烈なる存在感。

そして。人の心を見透かすような——冷笑。

最後の、その一コマを思い出すだけで身体中の血が滾《たぎ》り、末端神経までもがヒリヒリと灼《や》けつくような気がした。

偶然——と呼ぶには、あまりに生々しい再会であった。昂《たか》ぶり上がった拍動で、思わず吐き気を覚えるほどに。

まだ。

……まだ。何も忘れてはいない。

黄金率《おうごんりつ》と言わしめる麗姿《れいし》も。

アイ・シェードで隠された蒼瞳《そうとう》の酷薄さも。

網膜に刻まれた符咒《ふじゅ》のように、過去の残像が視界の端を掠《かす》めただけでスイッチが切り替わる。

憤怒と恥辱《ちじょく》にまみれた三年間が、生々しくリアルに。

少し低めの、張りのあるクール・ボイス。絶対的な自信に揺るぎもしない声は、いまだに耳の奥にこびりついて離れない。

(——イアソン……ミンク)

舌の先で転がし、奥歯で咬《か》み砕くその名前の……何と苦々しいことか。

そうして。

今更のように思い知るのだ。その苦汁の根源と先行きを。

これから先、どれほどスラムの垢《あか》にまみれようとも、リキがリキである限り癒《いや》されることのない傷痕《きずあと》なのだと。

深々と寄せられた眉間《みけん》で。

きつく吊《つ》り上がった眦《まなじり》で。

ピリピリ……と、殺気めいた険が刷《は》かれていく。リキの異質を際立たせるように。

今の今まで意識下でどんよりと微睡《まどろ》んでいたモノが、うっそりと頭をもたげはじめる。濃厚に淀《よど》む退廃の微熱の中に紛れ込んだ異邦人の本性を、暴《あば》き立てるかのように。

そして。

「おい。あいつ——誰よ?」

「さぁ……。初めて見る顔《ツラ》だ」

当然のことのように、周囲にざわめきが走った。

「なんか、ヤバそうじゃん」

「……だぜ。ビリビリにとんがってやがる」

「なんかおっぱじまる前に、一言、ジグの耳に入れといたほうがいいんじゃねーの?」

だが。そんな、好奇心というには過ぎるざわめきは、茶髪をベリーショートに刈り込んだ長身の男がゆったりとした足取りでリキに近寄っていくのを見て、

「スパルナの——『死神《ジャンゴ》』だ」

不穏な熾火《おきび》が爆《は》ぜるように、いきなりスパークした。

「ジャンゴだ」

「ジャンゴ……だって?」

「見ろよ。ジャンゴだぜ」

「——マジかよ?」

今現在。抗争中の『マードック』と『ジークス』を喰わせた張本人——と噂《うわさ》される『情報屋《スバルナ》』の出現に、店内は、また違った意味で色めき立った。

ただの情報屋にすぎない彼が、なぜ『死神』と呼ばれるようになったのか。その経緯も真相も、本当のことは誰も知らない。まとわりつく噂だけは、多々あったが。

曰《いわ》く。

『あいつには、何かが憑《つ》いてるらしい』

『奴の情人《ソマ》を寝取った奴が、狂い死にしたってよ』

『あいつにじっと見つめられると、なんか、寒気がしてくる』

『奴を取り合って壊滅《つぶ》れた族は、両手に余るって話だぜ』

噂は噂を呼び、人の口の数だけ膨《ふく》れ上がって畏怖《いふ》をかき立てる。遠巻きにヒソヒソと、生理的嫌悪を煽《あお》るかのように。

それでも。

リキは相変わらず、そんな周囲のざわめきには無関心だった。

そのとき。

空《から》になったグラスを掲げてバーテンを促すよりも先にすんなりと差し出された新しいグラスに、リキは、訝《いぶか》しげにその視線を上げた。

「お隣さんからです」

どこかぎこちない愛想笑いを貼《は》りつかせて、バーテンが言う。

そうして、初めて。リキは、いつのまにか塞《ふさ》がってしまった隣の席の男に目を向け、軽く舌打ちした。

場末のショット・バーで、独りヤケ酒をあおる男……。傍《はた》から見れば、そんなふうに思われても仕方がないほどにはグラスを重ねている。

しかし。リキが不快だったのは、そんな自分が、物欲しげに男を誘っているように思われたことだった。

くっきりとした顔立ちを際立たせる頭髪は、ベリーショート。どこから見ても人好きするとは思えない、それどころか、どこか得体の知れない雰囲気を漂わせた男を上目遣いに睨《ね》めつけて、リキは不機嫌に吐き捨てた。

「おい。ナンパするつもりなら、お門違いだ」

が――男は。

「そんな、たかが酒一杯であんたを口説こうなんて、おれは、そこまで命知らずじゃないけど?」

妙に意味深な口調で、静かに笑った。

「あんたがおカタイのは、今に始まったこっちゃないし?」

どこか人を喰ったようなシニカルな微笑に、リキは束の間――奇妙な既視感を覚えた。

(こいつ――どこかで……)

知らずきつくなる視線の先で、男は、

「…っと。減らず口も、三度目はないんだったよな?」

さもおかしげに、クックッと笑った。

三度目は——ない。

既視感は、その言葉に誘発されるようにズクリとリキの脳裏を灼いた。

「きっちり手形がつくほどブン殴られんのは、おれだってゴメンだし」

瞬間。

リキは、かすかに双眸《そうぼう》を眇《すが》めた。

「ラビ——か?」

すると。男……いや、ラビは、手にしたグラスを一気にあおって言った。

「ようやっと思い出してくれたようで、うれしいぜ。けど、おれは一発であんたがわかったのにな。おれは……そんなに変わったかい?」

言われるまでもなく。リキは、今更のように、まじまじとラビを凝視する。時間の流れをことさら意識するように。

「おまえ——何を食って、そんなにデカくなりやがったんだ?」

皮肉でも、何でもない。およそ八年ぶりに見るラビは、記憶に残る面影を大きく逸脱して余りあるほどだった。

思い出すのは、養育センター『ガーディアン』での軋轢《あつれき》と確執。

『だって、おかしいじゃない。あんたはガイさえいれば、あとは誰もいらないんだろ?』

唇に貼りついた投げやりな微笑と、

『ぼくは、一番大事なものをなくした。なのに、あんただけが幸せでいるなんて、そんなの……許せないよ。だったら、あんたも、何かをなくすべきなんだッ！』

突き刺すような絶叫。

そして。

『いいの？　あんたは——それで、本当にいいの？』

最後の最後に垣間《かいまみ》見せた、真摯《しんし》な激情。

異端で在り続けた『ガーディアン』の中でも、その、ラビ絡みの記憶だけはひどく鮮明だった。

そう。まるで……パンドラの匣《はこ》の底を覗《のぞ》き見るような錯覚に、思わず唇を嚙《か》み締めずにはいられないほどに。

「——元気そうだな」

「おかげさんで。でも、あんたはホントに、ぜんぜん変わらないな」

とたん。リキは、自嘲《じちょう》めいた笑みに唇を歪《ゆが》めた。

「…ンなわけ、ねぇだろが」

吐き捨てる、言葉の苦さ。

この数年で、自分がどれほど変わったか。自覚は痛烈すぎるほどだった。

なのに。ラビは言うのだ。

「変わらないよ、あんたは」

その口で、しごくあっさりと断言する。

「『ガーディアン』でも、このスラムでも。カリスマだろうが、負け犬だろうが、あんたはいつだって異邦人だ」

刹那《せつな》。

ズクズクと疼《うず》きしぶる傷跡をおもうさま蹴《け》りつけられたような気がして、リキは険しく双眸を吊り上げた。

だが。ラビは恐れ気もなく、やけに淡々と言い募る。

「今なら、わかるよ。あのとき——シェールの言った本当の意味が。あんたが『一番強くて、綺麗《きれい》』……。昔も今も、あんた、半端じゃないもんな」

リキの神経を、平然と逆なでするように。

「何が——言いたいんだ、おまえ」

圧《お》し殺した声音の低さが、キリキリと尖《とが》る。酒に馴染んだ紫煙の淀みさえもが、ことさらリキを避けて引き攣《つ》れるように。

「あんたの怖いところは、そういうのを、まるっきり自覚してないってことかもな。だから——みんな、魂までバリバリ食われちまうんだぜ」

直後。リキは奢《おご》られる気もなかったグラスの酒を、ラビの顔面に派手にブチ撒《ま》けた。

——とたん。

興味津々で見つめていた連中の口から、小さなどよめきが上がった。

『スパルナの死神』に。マジで喧嘩《けんか》を売る命知らず。あいつは、いったい、どこのバカヤローだ？　――と。

そして。飲み代をカードで清算し、まるで何もなかったかのような顔で立ち上がったリキへ、ラビもまた、声音すら変えずにそれを吐き出した。

「シェールは、あんたが『ガーディアン』を出てすぐに幼児退行が始まって、それから半年も持たなかったよ。まるで、あんたと切り離されたとたんに何もかもが……命の輝きまでがしぼんで萎《な》えていくような、そんな最期だった」

だが、リキは。これ以上ラビの感傷に付き合うつもりもなければ、二人して過去の傷を舐《な》め合う気にもならなかった。

なのに。最後の最後で、ラビは、特大級のミサイルをブチ込んでくれた。

「それに、あいつ――ユンカも、いつの間にか『ガーディアン』から消えちまった。まるで、ハルカみたいにさ」

瞬間。リキの足は、ビクリと硬直してしまった。

（――ユン…カ？）

脳裏を掠《かす》めてフラッシュバックする、ユンカの幼い面影……。

「まぁ、そんなこと、あんたは興味も関心もないだろうけど」

その言葉が、今更のようにリキの胸を刺す。何とも言いがたい切なさに疼く胸を。

けれども。『ガーディアン』時代のすべてをその場で切って捨てるように、リキは、それっきり一度もラビを振り返らなかった。

そんなリキの後ろ姿を、ラビは身じろぎもせずに見つめていた。それまでのそっけなさとは裏腹に、ひどく切なげな色を滲《にじ》ませて。

それは、リキが視界の端から完全に消え失せても、しばし途切れることはなかった。

――と。

「なぁに、シケたツラしてんだよ。『スパルナのジャンゴ』も形無しだな」

不意に落ちてきた嫌味ともつかない声に、ラビは、ふと我に返った。

そして。軽くもたげた目の中に、深海の底にいきなり灯《ひ》をともしたような見事な赤毛の少年を認めて、やおら肩の力を抜いた。

「約束の時間にちょこっと遅れただけで、よそ者《モン》に、見え見えの色目なんか遣ってんじゃねーよ」

ふてくされた口調で、少年は、いまだリキの温《ぬく》もりの抜け切らないであろうスツールに腰を下ろす。

「挙げ句に、酒をブッかけられて派手にフラレちゃあ、な。恥の上塗りだってーの」

聞いているのか、いないのか。ラビは、今更のように酒まみれの顔を袖《そで》で拭《ぬぐ》った。

「――で？　誰だよ、アレ」

「別に、おまえには関係ない」

とたん。少年はもろ不機嫌に、ガッンと、ラビのスツールを蹴りつけた。

「スカしてんじゃねーよ。訳有りなら、言い訳ぐらいは聞いてやるって言ってんだぜ。素直に吐けよ。何なら……今から追いかけてって、あいつの口から直接聞いたっていいんだぜ?」

「――やめとけ。下手にあいつに関わると、大怪我《けが》するぞ」

「へぇー……。俺なんか、相手にもならねーってか?」

「そうじゃない。あれは――本当にヤバイんだ」

「どこが?」

畳みかけるように身を乗り出してくる少年相手に、ラビは、これ見よがしのため息を洩《も》らす。本当に、何の因果で、シェールとは似ても似つかない、こんな性悪のガキに見込まれてしまったのだろうかと。

もっとも、それを口にすれば、

『何言ってやがんだよ。あんたみたいにタチの悪い死神をペアリング・パートナーにしようなんて物好きが、俺以外、いると思ってんのかよ。あぁ?』

自信たっぷりの台詞《せりふ》で、遠慮もなく、ど突き回されるのは目に見えているのだが。

だから。ラビはことさら淡々と、それを口にした。

「あいつは、ガーディアン時代のブロック・メイトだ。久々のご対面ってやつさ」

本当に。あまりに思いがけない、八年ぶりの再会であった。視界の端にリキの姿を捉《とら》えたとき、ラビは、全身の血が一度にざわめき立って震えがきたほどだ。

懐かしさのあまり、身も心も疼き震えた――のではない。

場末のショット・バーにはそぐわない、まるで……そこだけポッカリ異質が紛れ込んだような存在感に、喉《のど》が灼けつくようだった。

その奇妙な飢渇感に煽られて、ラビは、リキに歩み寄らずにはいられなかったのだ。

そして。

それは。

リキと言葉を交わすことで、更に熱を持った。身体の芯がねっとりと膿《う》んでいくような、悪寒ともつかない震えとともに。

「けど、訳有りなんだろ？」

確かに。ガーディアン時代、リキを巡る確執の果てに起こってしまったあの事件の真相の一端を知る、ラビは、唯一の目撃者であった。

いや。

あのとき。

現実と幻惑の境目で爆ぜ割れた『真実』の、いったい何を見たのか……。実際、ラビにもわからない。

ただ。リキを取り巻く『モノ』の存在がラビの五感を灼いた――あの瞬間の、全身の毛穴から脂汗が滴るような恐怖と異質感だけが記憶の芯に沁《し》みついて離れない。

ラビの心の支えであったシェールが逝《い》き。

そして。あの事件の元凶であったユンカまでもが、いつのまにか『ガーディアン』から姿を消し。

それでも。

ラビが身体の奥底に抱える違和感は、この八年間ずっと、消えてなくなりはしなかった。いまだに、ときおり思い出したようにそれがブリ返しては、自分の悲鳴で目を覚ます。

「もしかして、あいつが、ロスト・バージンの相手だったりしてな」

「おれは、そこまで命知らずじゃない」

「どうだか。悪名高い死神《ジャンゴ》を腑抜《ふぬ》けにできるタラシが、そうそういるもんかよ」

「タラシ——ねぇ」

あながち的外れとは言いがたい台詞に、ラビは、片頰《かたほお》でシニカルに笑う。

自分が破滅を招く『死神』ならば、リキは、やはり、人を魅了して魂まで喰らい尽くす『稀《き》獣《じゅう》』なのだろうと。

「そう……かもな。なんたって、あいつは『バジュラ』だし」

「バジュ…ラ?」

少年は、聞き慣れない言葉に、ふと眉《まゆ》を寄せる。

そんな少年の赤い髪をやんわり摑《つか》んで引き寄せ、ラビは、その耳元でとびきり甘く囁いた。

「あいつが、スラムの《バジュラ》……。『バイソン』のリキだよ」

そして。少年の双眸が大きく弾《はじ》け上がるのを見て、満足げに喉の奥で笑い声を嚙み殺した。

その日は珍しく、朝から冷たい雨が煙っていた。

だから——だろうか。

いつもは、腐臭とゴミにまみれたストリートも。荒れるにまかせたコロニーの壁も。今は、どこかホッ…とひと息ついたような静けさの中にある。

それでも。低く垂れ込めた空を闇のベールがすっぽり覆ってしまえば、ミダスの華々しい夜の陰で、鈍く錆《さ》びついた時間がどんよりと動き出す。

深々とため息を洩らしながら。重い腰を引きずり上げるように、ゆったりと……。

ひと足遅れて、リキが久しぶりに殺風景な溜《た》まり場へやってきたとき。いつもは、どこにいてもまっ先に目につくキリエの姿がなかった。

目ざわりな存在がいない。

それだけで、あらかた肩の力が抜けていく。

なのに。なぜか、奇妙な違和感があった。キリエひとりがいないというだけで、こうも盛り上がりに欠けるのかと思うと、ちょっと意外な気さえした。

「……よォ」

リキに気付いたガイが、ソファーから腰を浮かしざま、促すようにグラスを回して寄越した。

「えらく辛気《しんき》くせぇな。久しぶりだったんで、どこか、ほかのアジトに場所替えしたのかと思ったぜ」

一口喉を湿らせてリキが目を上げると、ガイは小さく肩を竦《すく》めてみせた。

「普段はキャンキャンうるさい奴でも、キリエがいないと話も弾まない……ってな」

「――」

「あいつ、この頃、付き合い悪いんだ」

「けっこうじゃねぇか。ガキにはガキの付き合いがあるんだろうぜ、きっと」

けんもほろろのそっけなさで、リキが言う。

だが。

「なぁ、リキ。まさか……だよ、な」

ガイは、どうにも気になって仕方がないと言う口調で、やんわり、リキの目を覗き込んだ。

「何が?」

「何が……って」

そう言葉を濁しながら、ガイは、リキのポーカーフェイスが崩れそうにもないのを見てとると、

「ま、別にいいけどな」

あきらめたようにグラスを干した。

正直言って。リキは。キリエがどこで、誰と、何をしようが、一向に興味はなかった。たとえ、ガイが懸念するようなことが実際にあったとしても、だ。

（俺には――関係ない）

そうやって切り捨てることで、リキは、身体の芯にねっとりとまとわりついてくるようなイアソンの存在を消し去ってしまいたかったのかもしれない。

だから。頭のへりに無理やりそれを押しやって、別のことを口にする。

「ガイ……」

「……ん？」

「こないだ――ラビに会ったぜ」

思わず双眸を見開いたガイを尻目《しりめ》に、リキは淡々とした口調でグラスを弄《もてあそ》びながら、そう切り出した。

八年ぶりに再会したラビの、思わぬ変貌と。

シェールの死。

そして。不可解な、ユンカの失踪《しっそう》を。

リキが語る間。ガイは『ふうん』だの『――で？』だの、唇の端で静かに相槌《あいづち》を打つだけ打って、最後の最後に、

「リキ。ラビはヤバイから、関わるのはやめとけよ」

やんわりと釘《くぎ》を刺した。

そうして。

リキは嫌でも自覚する。スラムの変容というよりはむしろ、埋まらない三年間の空白を。

「ヤバイって……何が?」

「あいつは——情報屋だ。それも『死神』呼ばわりされるほどタチの悪い……な」

それでも。言葉ほどには嫌悪のこもらないガイの顔を凝視しつつ、リキは、大変貌を遂げたラビの、シニカルな微笑を思い浮かべた。

「そりゃ、また……凄《すご》い言われようだな」

「ラビとツルんでると、痛くもない腹を探られるのがオチだ」

「…『ジークス』絡みでか?」

「そうだ」

思いのほかきっぱりと、ガイは言い切った。

「…『バイソン』の亡霊に踊らされてる奴がいれば、それを横から煽る奴もいる。当然、あわよくば……を狙《ねら》ってる姑息《こそく》な連中もな」

リキが——いや、ガイたちがあっさり捨て去った『バイソン』の残滓《ざんし》は形を変えて、いまだくすぶり続けている。彼らの感傷と思惑とはまた、別の次元で。いいかげん、鬱陶《うっとう》しくなるほどに。

まして。『ジークス』の連中が、半ば公然と『バイソン』の亡霊壊滅を叫んでいる今、三年ぶりに古巣へ戻ってきたリキの存在は、抗争の火種を否応なしに煽る格好のキーパーソンでもあった。

傍で、まことしやかに囁かれている『バイソン』復活など、ガイたちにとっては笑い話にしかならないフカシだが、それでは済まされない現実というものがあった。

それを知ってか、知らずか。

「つまり――バカばっかし…ってことか?」

うんざりと、リキが洩らす。

そうすると、ガイはもう、苦笑するしかないのだった。

しかし。

ガイの杞憂は、それからほどなく、彼らが溜まり場《アジト》として使っていた廃ビルが爆発炎上することで、一気に現実化したのである。

その噂は。

「おい。とうとう始まっちまったぜ」

「……らしいな」

瞬く間に、スラム中を駆け巡る。

「聞いたか?」

「おう。エルマのアジト、木端微塵《こっぱみじん》だってよ」

「やったもん勝ち……って、か?」

驚愕《きょうがく》のざわめきを誘い、

「思い切った事しやがるよなぁ、『ジークス』の奴らも」

「あいつら、怖いモノ知らずのガキだし」

からよ」

「……だぜ。なにせ、絶頂期の『バイソン』がどんだけスゴかったか、ぜんぜん知らねーんだ

手放しの喝采《かっさい》よりも、

「さすがの『マードック』も、度肝を抜かれたみたいだぜ」

「これで、『ジークス』一歩リードしたってことだよな?」

「やったのが、ほんとに『ジークス』ならな」

一抹の不安を孕んで。

「…『マードック』の奴ら、地団太踏《じだんだ》んで悔しがってるって?」

「ただのポーズじゃねーか?『バイソン』と『ジークス』が共食いすんのを狙ってるって噂

もあるし」

「おいしいトコ取りってわけ?」

「けど。早々、うまく行くわきゃねーって」

「おう。何たって『バイソン』はトップ張ったままの勝ち逃げだったしよ」

その一方で。興味津々のネタは尽きない。

「これで、全面戦争勃発《ぼっぱつ》かな、やっぱり」

「そりゃ、そうだろ?」

「だよな。あんだけ派手にやられて黙ってちゃ、『バイソン』の名前が廃《すた》るぜ」

鬱屈した感情の捌《は》け口を求めるように。

「なぁ、おい。リキは——動くと思うか?」

「ケッ…。あんな負け犬に、何ができるんだよ」

「そうそう。昔はどうでも、今じゃタマなしの腑抜けだろ?」

傍観者の辛辣《しんらつ》さと。

「…『ジークス』のクソガキどもも、バカだよな。リキの尻に火ィつけるなんてよォ」

「スラムの《バジュラ》の横っ面ハタいて、ただで済むわけねーじゃん。なぁ?」

「そんな……凄い奴なのか? リキって……」

「バァーカ。今頃、なに言ってやがんだよ。『バイソン』のリキだぜ。あったりまえじゃねーか」

身勝手な憶測《おくそく》を込めて。

「やっぱ、『目には目を』だよな?」

「ついでに『肉も骨も』……だぜ」

更なる噂を煽り立てる。


「——どうするよ、おい」

かつての溜まり場の残骸《ざんがい》の前で、仁王立ちのシドが問いかける。いつもより、ずっと険しい顔つきで。

「どうする……たってなぁ。こんだけ派手にブッ潰《つぶ》れちゃ、どうにもならないんじゃねーの?」

半ばため息まじりに、ノリスが吐き捨てる。シドの言う『どうする』がそんなことではないことくらい、ノリスにだってわかってはいたが。

するると。

「いよいよ、尻に火がついちまったってことかもな」

くわえ煙草のまま、ルークが瓦礫《がれき》のクズを蹴りつけた。それぞれの胸中を代弁するかのように。

そんな彼らを横目に、リキは、ひっそりと眉間に縦ジワを刻む。知らぬこととはいえ、やはり、

(…『ジークス』のガキどもを蹴り散らしたのはマズかったかな)

——と。

(俺の正体も、とっくにバレまくってるだろうし)

あれが、すべての元凶だとは思わないが。少なくとも、そのきっかけを弾く口実くらいにはなったかもしれないな……と。

それでも。

「まぁ、とりあえずは、ラウラに鞍替《くらが》えだな」

ガイの意見に異を唱える者はない。

目には見えない閉塞感と、満たされない飢渇感。そんな、代謝されずに腐り果てていくスラムの中で、狂乱と暴走の一時期に君臨した『バイソン』のメンバーたちは、のべつまくなしに牙《きば》を剝《む》く愚かさを知っている。

しかし。逸《はや》る気持ちを宥《なだ》めてキレるタイミングを図り、程よいテンションを高めて弾けきったあの頃と今では決定的な差異があった。

あの頃はただ、《リキ》というカリスマの背中を見ていればよかった。

リキの言葉に酔い。

灼けつく熱気と時間を共有し。

思わず震えがくるような高揚感の中で常に同じモノを見ていれば、それでよかった。

だが。

今は、違う。

《リキ》は、何も語らず。

《カリスマ》の灼熱《しゃくねつ》感は、失せ。

牙の抜けた《バジュラ》は、何も指し示さない。

そんなことはとうに納得ずくのことであったはずなのに、目の前で、それを当然のことのように見せつけられる口惜しさは――理屈のはるか彼方《かなた》にあった。

スラム中が、不穏にざわめいて浮き足立っていた。

アンバランスに揺れ動く足下を凝視しながら、誰もかれもが他人の顔色を窺《うかが》っている。

そんな中。突然、その奇妙な噂が彼らの耳にも入ってきた。

「ホントなのかよ、キリエが機械野郎に仲間を斡旋《あっせん》してるっての」

「あー……。ちょっとした小遣い稼ぎになるんだってよ。何でも、あいつらの間じゃ、人間とやるのが流行《はや》ってるんだと」

「ミダスの商売女にゃ洟《はな》も引っかけてもらえないんで、スラムの雑種に目ェつけたってわけかよ?」

「バカめ。機械《あいつら》に、性欲なんかあるわきゃねーだろうが。なんか、裏があるに決まってるさ」

「……かもな。ほら、『クロイツ』のタム。あいつ、興味半分でキリエの話にノッたはいいけど、病みつきになっちまって、それからこっち、毎日のように漁《あさ》り歩いてるって噂だぜ」

「もしかして、新種のドラッグの人体実験だったりすんじゃねぇの? ケツにブチ込まれりゃ、即効でクルぜ。跡も残らねぇしな」

「けど、それで、この世のパラダイスを拝めるっていうんなら、金はどうでも、一度、俺もお手合わせ願いたいぜ」

「ダメダメ。おれたちみたいにヒネてトウが立った奴は、向こうでお断りだとよ」

「そりゃあ、おまえ、あいつらにだって選ぶ権利くらいはあらぁな。なにせ、声がかかるのは小便臭いガキばっかりだっていうし」

「ンじゃ、やっぱ、ターゲットを絞ってやがんだぜ。ますます、胡散《うさん》くせーな」

「で……キリエの奴ァ、仲介料《マージン》取ってやがんだって？」

「らしいぜ。さすが、抜け目ねえよな、あいつは……」

「それにしたって、ケチくせー奴だぜ。ちっとは、おこぼれくらい回してやろうって気はねぇのかよ。キリエの奴」

本音とも冗談ともつかないシドの言い様に、半ばつられて乾いた笑い声が上がった。

しかし。それもぎこちなく途切れてしまうと、あとはもう、しらけた沈黙が降るだけであった。

すると、その居心地悪さが我慢できない——と言わんばかりに、ノリスが、軽く口火を切った。

「その点、やっぱ、リキは俺たちの頭だったよなァ。スラムじゃ見たこともないような酒なんか、持ってきたりしてたもんな」

だから。

それは。

しらけた間の悪さを取り繕うための、ただの思い出話であったはずなのだ。ルークが、

「さぁて、何をやってたんだかな」

そんなことさえ言い出さなければ。

「案外、キリエと同じようなことやってたりしたんじゃねーかぁ？」

ククッ…と、含み笑いにルークの喉が鳴る。

「ダチを売る代わりに、誰かにケツの毛まで抜かれちまった――とか？　あー、こりゃ、キリエの台詞だったっけな？」

だが、誰も笑わなかった。

いや。あまりに挑発的なルークの言い草に、束の間、言葉を見失ってしまったと言うべきだろうか。

「どうした？　図星なんで声も出ねーのかよ」

あからさまな嘲笑《ちょうしょう》にしては、ルークの口調はどこか苛立《いらだ》たしげですらあった。何を言っても平然と聞き流すリキの態度が気にくわないと、もろに詰《なじ》るような目をしていた。

「おまえがそう思ってんなら、俺は、別にかまやしねぇよ。何を、どう想像すんのかは、おまえの勝手だ」

その、あまりのそっけなさにルークは片頬を歪め、

「俺はな、リキ。おまえのそういう面《ツラ》ぁ見てると、ヘドが出るぜ」

喉奥から絞り出すように吐き捨てた。

「あんまり腹が立つからよォ、後ろからメチャクチャ突っ込んで、ヒーヒー泣かせてみたくなる」

誰も、それが、ルーク特有の冗談だとは思わなかった。酔いにあぶり出された苛立ち紛れの本音が、そこかしこでギラついているようだった。

そんなルークに毒されたのか。

それとも。水面下でせめぎ合う感情のもつれに、きっちり一本、釘を刺しておきたかったのか。

「やれるもんなら、やってみな。ただし、サオなしの役立たずになったからって、後で恨みごとなんか言うなよ」

ことさらゆっくり、リキが凄む。声を荒げもせず。ひどく冷淡に。

だが。冴え冴えとした黒瞳は切りつけるような熱を隠し持ったまま、どこか妖《あや》しげで危うい色香さえ孕んで。

その瞬間。

誰もが不意に、息を呑《の》んで――声を殺した。

何か……。見てはならないものを見てしまったようなバツの悪さを覚えて。

どんよりとした沈黙が、妙に息苦しい。

その重さに耐え兼ねて、ノリスがぎくしゃくと視線を逸《そ》らせた。

シドは詰めた息をそっと吐きながら、ヒリついた唇を何度も舐める。

そうして、ルークは。これ見よがしに、ビンごと一気に酒をあおった。

ただ、ガイだけが不安げな眼差しで、いつまでもリキを凝視していた。

自由であり続けるために、あえて静観を決め込むのは——負け犬か？

いや。

そうではない。

過去の亡霊に囚《とら》われて、それしか見えなくなってしまうことが罪なのだ。

現実を直視してなお、情に流されない頑《かたく》なさを『エゴ』と呼ぶのか？

——否。

問われているのは、今現在の生き方《プライド》ではない。

求められているのは、驚くほどにウブで無知だった頃の情熱《パッション》だ。

そんなものはとうに擦《す》り切れてしまったというのに、リキを仰ぎ見る周囲の視線だけが変わらない。

本当に。うんざりするのを通り越して、フツフツとした苛立たしさを覚えるほどに。

誰からも束縛されない。

何の手枷足枷《てかせあしかせ》もない——自由。

なのに、捨てたはずの過去《しがらみ》がリキを縛る。目には見えない圧迫感すら伴って。

夏が終わろうとしていた。

ジリジリと焦げるような暑さもなく、『夏』とは名ばかりの、淡く短い季節が過ぎていく。

キリキリと引き攣れるような、不穏な渦を巻いたまま。

そのとき。

「あぁ？」

もしかして自分の聞き違いではないかと、ノリスは、思わず問い返した。

昼間でも灯《あか》りがないと薄暗いラウラのアジトで、年代物というよりはむしろ骨董《こっとう》品に近い愛用のバタフライ・ナイフに磨きをかけていたときのことである。

「今夜、リキを犯《や》る」

突然、ルークがそう言ったのだ。

「笑えんぜ、その手の冗談はよォ」

ギロリとシドに睨《ね》めつけられて、ルークは、

「俺は、本気だぜ」

鼻先で笑った。

「バカ言ってんなよ。リキには、ガイがいるんだぜ」

「カビが生えた昔の話じゃねーか。あいつらがとうに切れてんの、おまえだって知ってるはずだろ？」

言葉に詰まり、むっつり、ノリスが黙り込む。

「リキが帰って来てからこっち、ヨリが戻った話なんか聞いてねーからな」

（だからって、なぁ。たとえ天地がひっくり返ったって、リキは、てめぇのモンにゃならねーよッ）

——とは、ノリスの心の叫びである。

切れようが。ヨリを戻そうが。そんなことは関係ないのだ。

あの二人は、セックスよりも、もっと……ずっと深いところでひとつに繫《つな》がっている。そんなふうに思わせるものが、確かにあった。本当に、いちいち嫉妬《しっと》するのもバカらしくてやってられないほどに。

ルークだって、そんなことは百も承知のはずなのに、今の今になって——なぜ？

ノリスには、ルークが何を考えているのか……わからなかった。

「よォ、ルーク。おまえ、こないだのこと、まだ根に持ってんのか？　いいかげん、やめとけよ、もう。ガイだって、あんまりいい気はしねぇだろうぜ。それによ、あらァ、マジだったぜ、リキの奴」

「面白いじゃねーか、そういう手応えがあった方が。自分から尻《ケツ》を突き出してくるような相手にゃ、ウンザリしてんだよ、このところ……」

口調は軽い。だが、仲間内の冗談で済ませるつもりなど、さらさらないようだった。

「おまえ、スタウトのやりすぎで、頭がイカれたんじゃねーの？」

これ以上付き合っていられるかよ——とばかりに、ノリスがソファーを背に踏ん反り返る。

それにもめげず、ルークはしゃあしゃあと言ってのけた。

「別に、おまえらに手伝えなんて言ってやしねーよ。ただ、事が終わるまでラリっててくれりゃあいいんだよ」

「──ゴメンだね、俺は」

「仲間《タチ》のよしみで冗談にしてやらァ。そんな話、二度とすんなッ」

するど、ルークはニヤリと笑った。

「なぁにビビってんだよ、シド。リキが『バイソン』を仕切ってた頃とは違うんだぜ。今更カッコつけることぁねーだろ？」

「──何が言いたいんだ、おまえ」

いつもだったら気にもならないルークの妙に持って回った口調が、なぜか、このときばかりは無性に癇《かん》にさわるシドだった。

「おまえが崇《あが》め奉ってた『バイソンのリキ』なんか、もうどこにもいないって言ってんだよ。わかってんだろ？　今のあいつは腑抜けた負け犬さ。けど、相変わらずいい身体してやがんだよなぁ。尻なんか、キュッ…と締まっててよォ。リキのナニを想像しただけで勃《た》っちまうぜ、ホント。おまえだって、そうだろう？　だから、キリエにモーションかけてたんじゃねーのか？　あいつ、どことなく似てるからな、昔のリキに。それとも、相手がモノホンじゃ、チビッて立つもんも勃たねーか？」

瞬間。シドは、クワッ…と目を剝いた。

顔面は血の気を失ったように蒼白く、双眼だけが赤く腫《は》れ上がっていた。

人は、本音を摑み出されてあからさまに嘲笑されたとき、そういう形相になるのだろうか。

シドのそれは、憤怒というよりはむしろ殺気立って見えた。

そのまま取っ組み合いの喧嘩にならないのがかえって不気味で、ノリスはゴクリと喉を鳴らす。

「俺はな、シド。リキの、あの取り澄ました面《ツラ》を見てると、ムカついてたまんなくなる」

それまでの冷笑的《シニカル》な口調とは明らかに違う、圧《お》し殺した音声の低さにルークの本音が剝き出しになる。

「昔のリキは——さわるとヤケドしそうな気がしたぜ。熱くて、激しくて、そばにいるだけでこっちの身体まで火照《ほて》るようだった」

記憶は、いつでも鮮明に蘇《よみがえ》る。あの頃の体感温度までもが。

『ルークッ！　雑魚《ざこ》にかまうなッ。バースだ。頭からブチ込んでバースを陥《お》とせッ！　いいか、ドジるんじゃねーぞッ』

けたたましい喧噪《けんそう》を裂いて投げつけられるリキの檄《げき》は、甘美な誘発剤だ。どんなドラッグをやるより、確実にアドレナリンを沸騰させる。

あの黒瞳が。

あの声が。

名指しで自分を呼ぶ——痺《しび》れるような快感。

それだけで、どんな無謀な事もやり通せるような気がした。

「普段は涼しい顔をしてやがるくせに、やるときゃ、いつも、先頭を突っ走る火の玉だった。こっちの都合なんかお構いなしに、トンでもねー事ばっかやらかしやがってよ」

先陣を切る改造エアバイクの爆音。

ヒリヒリと頬を灼く風の熱さ。

リキと爆走するリアルな一体感は、セックスよりも過激なエクスタシーであった。

……熱い。

疼く。

騒ぐ……。

灼けるッ。

――痺れる。

先頭を突っ走るリキの背中には、いつでも、プラズマの熱がこもっていた。

そんなリキをバイクの尻に乗せて走るのは、ガイの役目だった。

『二ケツなら、おまえが後ろだ、リキ。貴重なバイクをおしゃかにされちゃ、たまんないからな』

いつもは控え目なガイが、それだけは、ガンとして譲ろうとしなかった。

エアバイクが惜しいのではない。いつでもアクセルを全開にしてブッ飛ばすリキの運転技術にケチをつけるつもりは毛頭ないが、それでも、思わず肝を冷やしたことは、ガイでなくても多々あった。

ガイにしてみれば。そんなリキの背中を見て胃がズクズクと疼くくらいなら、自分のケツにリキを乗せて走る方が百万倍マシだったに違いない。

だが。

ルークは。いや——ノリスにしろ、シドにしろ。口には出さないだけで、

『それが、なぜ、ガイ一人だけに許される特権なんだッ？』

そんな八つ当たりの嫉妬に胸を焦がしたことなら、正直、腐るほどあった。

「血が騒ぐってのか……。リキと一緒だと何でもうまくいきそうな気がしたし、怖いモンなんか、何もなかった。そうだろ？」

そう問われて。間髪を置かずにあっさり頷《うなず》いてしまえるくらいには、シドもノリスも魅せられていたのだ。《リキ》というカリスマに。

「けど……。今から思やぁ、ホット・クラックの凶犬だのなんだの意気がってた割りに、俺たちゃ、ずいぶんと甘ちゃんだったよなぁ？　だから、リキが『バイソン』を抜けるってブチ上げたときも、誰ひとり、あいつのケツに咬みついて引き留めることもできなかった」

それこそ、今更——なのだが。

だが、あのとき。

もしも……。

不様でも何でも、

『俺たちを見捨てるのかッ！』

　そんなふうに、リキを詰ってでもすがりついていたなら、あるいは、もう少し違った展開が見えていたのだろうかと。

　所詮《しょせん》、みっともない繰り言にすぎないのだが……。

「結局——何だかんだ言ったって、おれたちゃ、リキにベタ惚《ほ》れだったってことだろ？」

　何のテレもてらいもなく、そんなふうに、しごくすんなりと認めてしまえるのが——不思議だった。

　それゆえに。

「けど……。今のあいつは、何なんだよ。いつも醒《さ》めた目で、スタウトなんかでラリってやがる」

　失望感は倍増するのだろう。それが、理不尽な八つ当たりだと頭の中ではわかっていても、くすぶり続けるモノは毒薬のようにドス黒く胸を掻《か》き毟《むし》る。

「俺たちなんか、てんでお呼びじゃないってツラしてやがるんだぜ」

　割り切ったつもりで、未練がましく、いつまでも過去を引き摺《ず》っている自分たちが一番不様だと。

「……なら、無視できないようにしてやるまでさ」

　だったら。とことん、開き直ってやろう——と。ルークは、そう言うのだ。

　このまま、ズルズルとなし崩しに流されていくよりは、その方がはるかにマシだ——と。

シドも、ノリスも。身じろぎもせず、ただルークを睨んでいた。

その身勝手な言い様に呆《あき》れて、詰る気も失せたのか？

否——である。

ふたりは、返す言葉もなかったのだ。リキに対する理由のわからない苛立ちをルークに代弁されたような気がして、声も出なかったのである。

リキとともに在ることの優越感と、充足感。

そして。

あまりにも突然の——喪失感。

納得ずくだったはずのそれは、四年経った今になって、形容しがたい飢渇感に取って変わった。

それでも。

ルークほど過激になれない自分を、彼らはよく知っていた。

言葉にならない狼狽《ろうばい》と。

歪《いびつ》に屈折する理性。

そうして。沈黙は、澱《おり》のごとく淀んでは時を喰らっていく。

その重苦しさに息も吐きかねたとき。

耳慣れたドアの開閉音が、不意に大気を打ち据えた。

彼らはギクリと身を竦め、弾かれたように視線を馳《は》せる。その先で、

「なんだ？　どうかしたのか？」

訝しげに足を止め、リキが問いかける。

だが、誰も口を開かない。三人三様、ぎこちなく目を逸らせただけだった。

「ガイは？」

「今日は、来ないいんじゃねーの？　誰かと先約があるようなこと言ってたぜ」

そっけなく、ルークが応じる。

とたん。シドが、凄みのきいた目でルークを睨みつけた。

ノリスも、なぜルークが『今夜』と言い出したのか、ようやく合点がいったように小さく舌打ちをした。

そうやって彼らが吐き出す沈黙の居心地悪さをあえて無視して、リキは無言のまま、いつもの定位置に腰を据えた。

「やるか？」

ルークがスタウトをかざす。

リキは、こくりと頷いた。

味もそっけもない固形フードを嚙み砕き、飲み干す。それからゆっくり、スタウトを口に含んだ。

ピリッ…と刺すような独特の苦みを舌先で転がしながら、少しずつ喉の奥へと馴染ませていく。

慣れたものだった。

そうやって深々と息を吐き、リキがその手でスタウトを回すと、ノリスは軽く頭を振った。

それじゃあ……と、視線が促すようにシドへ流れる。

「いや、やめとく。気がのらねーんだ、今夜は……」

ルークがかすかに笑った。苦笑いとも、自嘲ともつかない薄ら笑いだった。

それでも。

リキは何も問わない。問わずに、再度、スタウトを口に含んだ。

やがて。リキの黒瞳が、スタウトの酔いにまかれてしっとり潤みはじめた。

しなりのきいた四肢がゆるやかに蠢《うごめ》き、うっすら、微笑がこぼれる。

ノリスは、思わずギョッ…と双眸を瞠《みは》った。

その唇から洩れる吐息は、やるせないほど甘いだろうか……。そんな錯覚に思わず喉が震えるほどに、リキの微笑は艶《あで》やかであった。

彼らの視界の中で、リキが、無防備に素顔を曝《さら》け出す。

いつもなら、ともに快感の波に流されて見過ごしにしてしまうはずの変貌であった。それは、唯一のストッパーとも言うべきガイの不在ともあいまって、思いがけず、彼らの網膜に鮮烈なイメージを刻みつけていくのだった。

半開きの唇をわずかに強《こわ》ばらせたまま、シドが、食い入るようにリキの変貌を貪っている。ため息を洩らすことさえ憚《はばか》られる、侵しがたい陶酔の——瞬間。

張り詰めた沈黙の中で、彼らの吐息がリキの鼓動にシンクロし、そのまま、快感の淵《ふち》を上り詰めていくようであった。

結局。

その夜は、何も起こらなかった。

いや。

シドとノリスの存外のナイトぶりに、さすがのルークも自重せずにはいられなかった。――というより、そんな余裕も持てなかったと言うべきだろうか。

だが、ルークは。リキの毒気に当てられた二人が、代わる代わる、ぎくしゃくとした腰付きでトイレに駆け込んでも、別に、それを冷笑したりはしなかった。

けれども。

胸に渦巻く飢渇感が、思ったよりもずっとタチが悪くなってしまった自覚だけは痛烈だった。

*****6

空が、抜けるように蒼かった。

グリーン・ベルトから吹き抜ける風が日一日と冷涼さを増すこの時期にしては、蒼穹を染め上げる陽光のきらめきが鮮やかであった。

ケレス——一三：五〇。

雑然とした街中を、舐めずるように疾走してくる一台のエアカーがあった。

一瞬の擦れ違いざま、誰もが皆、呆気《あっけ》に取られて振り返る。

それが、おもしろくてたまらないッ——とでも言いたげに、尾灯《テール・ランプ》をせわしなく点滅させては車体をうねらせていた。

見るからに高級そうな白銀のボディーは艶《つや》やかで、一点の染みもわずかな曇りもない。機能美に徹した流線型は、小型ながら、すこぶる性能が良さそうであった。

そんな、スラムでは滅多に拝むこともできないような垂涎《すいぜん》の御宝《おたから》が、メイン・ストリートを爆走している。

路地のゴミを蹴散らし。

そこら中で埃《ほこり》を舞い上げ。

ビルの右へ、交差点の左へ。

あんぐり惚《ほう》けた連中の視線を釘付けにしたまま。

そうやって、観客無視のワンマンショーを心行くまで楽しんだ後。エアカーは、ようやく満足したようにシフト・ダウンした。

いったい。

どこの、誰が。

こんな——場違いも甚《はなは》だしいモノを飛ばしてきたのか。

興味津々のざわめきを無造作にかき分け、エアカーはゆっくり滑り降り、そして——止まった。わずかな軋みも感じさせず、ただひたすら優雅に。

軽い唸《うな》りを上げて、片方のドアが上に開く。

——と。何を期待してか、一瞬のざわつきが息を呑む沈黙に取って変わった。

そして。そこから、しなやかな身のこなしで降りてきた男の顔を見て、今度は小さなどよめきが湧《わ》き上がった。

まるで見違えるように、すっかり垢抜けたキリエがそこにいる。

オーダーメイドしたかのような派手な服が、細身の身体に映える。わずかにはだけた胸元にはゴールド・チェーン。それと対《つい》をなすかのような左手首のブレスレットは、紛い物ではない特有の輝きを放っていた。

思わず口を突く驚愕の声と、羨望《せんぼう》のため息。

だが、それは。次第に嫉妬できつくなる視線とともに、やがて同等の重さでもって跳ね返り、キリエにうるさくまとわりついた。

しかし。キリエは表情すら変えない。そのまま、手にしたリモコンで愛車を空中待機させると、追いすがる視線を踏みにじるような足取りでひとつ目の十字路を左に曲がった。

その突き当たりに、古ぼけたビルがある。

旧式のエレベーターで五階に上がり、渡り廊下をはさんで更に奥。そこが、リキたちの第二の溜まり場『ラウラ』であった。

キリエはゆったりと歩き、ダークグリーンに塗り潰されたドアの前で足を止めた。

そのとき初めて、キリエは笑みを洩らした。

もっとも。久しぶりに仲間と会う喜びに、思わず口元も緩んだ——というわけではなさそうだったが。

左の壁にこぢんまりと、開閉スイッチがある。キリエは、慣れた手つきで暗証番号を入力する。

そうして。ドアは、キリエの登場を称えるかのように緩やかに開いた。

——とたん。

「おぉッ、こりゃまた、どこの御貴族サマかと思ったぜ」

ルークの、皮肉に満ちたあからさまな声がキリエを出迎えた。

外での、一連のデモンストレーションの効果か。

それとも。新参者はある意味、いつまで経っても新参者でしかないのか。

「すっかり、まぁ、垢抜けちまって……。男振りが三枚くらい上がったんじゃねーの？」

「そう、そう。光モンが眩《まぶ》しいぜぇ」

目から鱗《うろこ》が落ちたような鮮やかなキリエの変貌ぶりにも、彼らは少しも動じてはいないようだった。

半ば、思わぬ肩透かしを喰ったような気がして、内心――キリエはかすかに落胆する。

それでも、

「相変わらずだな。一応、誉め言葉で聞いとくぜ、今のは……」

不遜《ふそん》な態度を隠そうともしないキリエだった。

身形が高級になると、言葉付きまで高慢になるのか。あるいは――意識的にそう見せようとしているのか。

まぁ、どちらにしろ、キリエが彼らに対して優越感を感じているのは間違いなさそうであった。

「舞い上がってんなぁ、キリエの奴。負けてない」

苦笑まじりに、ガイがボソリと洩らす。

と――すかさず、

「ガキなだけさ」

低く、リキが吐き捨てた。

「まっ、あいつにしてみりゃ初の凱旋《がいせん》だしな。デカイ面で踏ん反り返ってみたくもなるんだろうよ」

それでも。久々にキリエが顔を出したとたんに不機嫌のとぐろを巻き出したリキを前にして、

『おまえも、そうだったじゃないか』

――などと、あえて地雷を踏みつける気にはなれないガイであった。

「へぇー、まだ、チンケにスタウトなんかやってんのかよ？　ンじゃあ、今度、ヴァルタンぐらい奢《おご》ってやるぜ」

「そりゃ、また、えらく景気の良い話だな。仲間《ダチ》を機械野郎に売り飛ばすのが、そんなに実入りがイイとは知らなかったぜ」

さすがに、キリエはムッ…とする。

だが。以前のようにキャンキャン吠《ほ》え立てるわけでもなく、それどころか、ニヤリと不敵に笑ってみせた。

「なんなら、試してみるかい？　紹介してやってもいいぜ」

「そうだな。二進《にっち》も三進《さっち》もいかなくなったら、よろしく頼まぁ。今のところは、とりあえず、ヴァルタンでも飲ましてくれや。一本二本……なんてケチ臭いことは言わずに、ケースごとまとめて頼むぜ、大将」

「あー、まかしとけよ。腰が立たなくなるほど飲ましてやるから、ラリって野垂れ死にしない

ようにすることったな」

チクチクと棘《とげ》のある掛け合いは火花を散らし、次第にエスカレートしていく。

だから。不意にノリスが、

「いや。どうせなら、おれはヴァルタンより、『ジークス』のガキどもをどうにかしてほしいぜ。エルマのアジトはフッ飛んじまうしよ。いいかげん、マジギレだぜ」

軽口まじりに、つい、口を滑らせたとき。

「なんだ、泣き寝入りかよ。なっさけねーの」

キリエはこの時とばかりに、その不甲斐《ふがい》なさを鼻先で嘲《わら》った。

「…『バイソン』も、とことん腑抜けちまったんだな」

とたん。

どんよりとした沈黙が落ちた。

キリエは知らない。

その沈黙の意味を。

それぞれの葛藤《かっとう》を。

せめぎ合う軋轢《あつれき》を。

それらが孕む、ギリギリの際どさも。

だから――キリエは読み違えたのだ。その重さを。

そして。

「なんなら……おれが一発、カマしてやろうか？」

鼻持ちならない高慢さで、抉《えぐ》った。

「尻の毛を抜かれちまった誰かさんの代わりに、さ」

無自覚に。

深々と……。

すると。

「いいねぇ。何のしがらみもないガキは。能書タレるだけで済むもんなぁ」

白々とそっけなく、ノリスが洩らした。

それが総意ではあるまいが、彼らの複雑に屈折した胸中を代弁するには充分だったのかもしれない。

皮肉も冷やかしも、ない。

それゆえ、妙に冷え冷えとした居心地悪さに、キリエは、

「なんだよ。おれが、大ボラ吹いてるとでも言うのかよッ？」

ことさら語尾を張り上げずにはいられなかった。

「…『ジークス』のガキの首をヒネるなんざ、屁《へ》でもねーんだからなッ」

不意に自分の居場所を見失ってしまったような錯覚に、キリエは柳眉《りゅうび》を逆立てる。

「まぁ、そういう大口は、やってみてから叩くんだな。頭でっかちのガキの戯言《たわごと》なんぞ、誰も本気にしやしねーよ。まぁ、その点、ありがたいことにゃ、過去の財産をチビチビ喰い潰して

るだけの腑抜けでも、いまだに皆さん買い被《かぶ》ってくださるってもんよ」

そんなノリスの言いざまに、ルークが、シドが、申し合わせたように顔を見合わせ、クックッと笑う。ひとしきり。喉の奥で……。

瞬間。

キリエは。高々とした鼻をへし折られたばかりか、プライドを逆なでにして掻き毟られたような気がして、ギリギリ唇を噛んだ。

そうやって、キリエは初めて思い知らされる。スラムで名前を上げるということが、どういうことなのかを。

それでも。そこで視線を落としてしまえば、負け犬だ。

だから。

キリエは奥歯を軋らせながらも、

「いいぜ。そのうち、たっぷり見せてやるさ。おれの本気ってやつをな」

あえて、強気のポーズを崩さなかった。

そうやって彼らの目をしっかりと見返すことで、己自身を鼓舞する。

(おれは――名実ともに、成り上がってやるんだッ)

――と。

そのためにも、まずは差し迫って、どうしても打ち破らなければならない壁があった。

そのときになってようやく、キリエは、何のためにわざわざここまで出張ってきたのか――

それを思い出した。

　気を取り直してひとつ大きく息を吐き、キリエは、ツカツカとガイに歩み寄る。

「こないだの話……。考え直してくれたかい？」

　リキには見向きもせず、腰を下ろすなり、キリエはガイの目を覗き込んだ。

　先ほどまでの険悪さなど、おくびにも出さない。いっそ見事なまでの切り替えの良さに、内心、ガイは舌を巻く。

　だが。それはそれ、これはこれで、

「断ったはずだぜ、その話なら……」

　ガイはひどくそっけなかった。

　キリエは思わず、舌打ちを洩らす。これじゃあまるで、泣きっ面にハチもいいとこじゃないかッ――と。

「だから、考え直してくれたか……って、聞いてんだよ」

　抑えきれない苛立ち紛れに、わずか、声が尖る。

「しつっこいぜ、キリエ」

「どうして？　こんなチャンス、もう二度とないぜ？」

　キリエは、畳みかけるように言い募る。

「わかってんのかよ？　エリートなんだぜ。向こうが、あんたを見込んで『ぜひに』…って言ってんのに、なんで、断っちまうんだよ。もったいねーだろ？」

嫌味でも皮肉でもない。ましてや、ガイの自尊心をくすぐるための方便でもなく。キリエは、まるで我が事のように残念がった。できるものなら、自分の方が、その栄誉に与かりたいぜ
——とばかりに。

そんなあからさまな顔つきにも、ガイは口調すら変えない。

「俺は、な。そういう美味《おい》しすぎる話は喰わないようにしてるんだ」

「だから、そんな変な裏なんかないってば。ホントだぜ？」

キリエは、半ば呆れたようにため息を吐く。

「あんた、考えすぎなんだよ」

「タナグラのブロンディーさまが、スラムの雑種をペットにしたいってか？　そんなの、質《タチ》の悪い冗談もいいとこだぜ」

声をひそめて吐き捨てたガイの傍らで、瞬間——リキが弾かれたように頭をもたげた。

「それにな。俺を名指して来たってのが、一番信じられん。どう贔屓目《ひいきめ》に見ても、俺は……並だ。誰か、特上の奴と間違えてんじゃないのか？」

「なんで、そんなに疑い深いんだよ、まったく。スラムの雑種だからって、そんなに卑屈になるこたぁねーよ。人違いなんかじゃねーってば。ちゃんと、ハッキリ言ったんだぜ。『黒髪とツルんでた方』って。あんとき、リキのそばにいたの、あんただけだったろ？」

(……だから、さ)

——と。ガイは、口の中でつぶやく。

ガイの頭髪は、灰黒色だ。それなのにあのブロンディーは、ガイ自身の特徴を事細かに指摘するのではなく、しごくあっさりと、

『黒髪とツルんでいた方……』

そう、言ったのだという。ならば、あのブロンディーの目にもはっきり、リキの存在感の方が勝ったはずだ。

それなのに、なぜ？

リキではなく、自分なのか？

変な裏などない——と、キリエは力説する。

あるいは、そうかもしれない。

タナグラのブロンディーが、何を血迷ったのかは知らないが。それでも。キリエが言うように、普通に考えてみれば、こんなビッグ・チャンスはもう二度と巡っては来ないだろう。

だったら。何を振り捨てても飛びつくのが常識……なのかもしれない。

しかし。『ガーディアン』の頃からずっとリキとともに在り続けてきたガイは、卑屈にはならないほどには冷静に自分を客観視することはできるのだ。

目先の欲に駆られて、自分を見失った後のツケは大きい。

そんなのは、腐るほど見てきた。

少しでも蟠《わだかま》りがあるのなら、無闇やたらと先走らない方がいい。そういう直感は、大事だ。

たとえ、

『ビッグ・チャンスを棒に振る臆病者《おくびょうもの》』

そんなふうにキリエにバカにされても、ガイは今更ポリシーを曲げるつもりはなかった。

「だから、さぁ。も一回、ちゃんと考えてくれよ。なッ？　こんな美味《ウマ》い話、喰わねーバカはいねー……」

そのとき。なおもしつこく食い下がるキリエの言葉を不意に遮《さえぎ》ったのは、リキだった。

「──おい」

身を乗り出しざま、その腕をグイと摑んで離さないリキに、キリエは露骨に顔をしかめた。

「なんだよ？」

その手を邪険に振り払い、キリエが低く唸る。話の腰を折られてムカッ腹を立てるには、きつすぎるほどの棘々しさであった。

「そのブロンディーてのは……ペット・オークションのときの野郎のことか？」

「だったら、どうだってんだよ」

とたん。

リキの脳裏を灼くように、イアソンの顔がフラッシュバックした。

ミストラルパークでの、あの、意味ありげな──冷笑。

瞬間。

ゾワリ……と。

何か、得体の知れない怖気《おぞけ》がリキの背を這《は》い上がった。

そんなふうに。いきなり黙り込んでしまったリキの鼻先で、キリエは、それまでの鬱積した恨みつらみを視線に込め、

「あんたは、ぜんぜん、およびじゃねーんだぜ」

せせら笑う。

しかし。リキは、そんなキリエのこれ見よがしの嘲笑などまるで眼中にはなかった。

黙殺するリキの視線の先にあるのは、ただひとつ。タナグラの『美神』と言われたイアソンの、あの、怜悧《れいり》な美貌だけだった。


その日。

『ジークス』のメイン・アジト——と噂のある一角に、一発の催涙弾が打ち込まれた。

悲鳴と怒号が交錯する中。立ち込める白煙とむせ返るような刺激臭に巻かれて次々に転がり出てくる少年たちの助けを求める声に、野次馬たちの反応は冷たい。

いや。

それどころか。

いつもの傍若無人な凶暴さが祟ってか、催涙弾をブチ込んだ犯人がどこの誰であれ、おおっぴらに拍手喝采を叫ぶほど露骨になれなくても、内心、

(ざまぁみやがれ)

溜飲《りゅういん》を下げた者は数多かろう。

その点。ある種、畏怖と同等の憧憬《どうけい》の象徴でもあった『バイソン』とは違い、ドライに容赦なく喰い潰すだけの『ジークス』は、スラムの嫌悪の的でしかなかった。

「ケッ、ざまぁねーな」

「見ろよ。小便チビッてやがるぜ」

「あーなると、ただのクソガキだよな」

涙と鼻水の吐瀉物《ゲロ》にまみれてのたうち回る不様さに、毒舌まじりの悪態をつきこそすれ、誰も、同情心の欠片《かけら》も持ち合わせてはいないようだった。

しかし。

そんな『ジークス』の醜態を酒の肴《さかな》に座を盛り上げるには、今ひとつ物足りなさを感じはじめたとき。誰の口からともなく、ヒソヒソと、だが、まことしやかに囁《ささや》かれはじめた。『ジークス』に取っては天敵であるはずの『マードック』を差し置いて、『バイソン』のゴースト・ネームが。

目には、目を。

あれは、『バイソン』の報復《リベンジ》だ——と。

そうして。

噂はスラム中をひた走る。

其処彼処で。憶測が細胞分裂するかのごとく、興味本位の尾ヒレを付けまくって。

＊＊＊＊＊7

古今東西。

年齢、性別、及び——人種を問わず。

《人》と《人》との出逢《であ》いは、スリリングでドラマチックな『賭け《ギャンブル》』である。

故意にしろ、過失にしろ。

はたまた——偶然であれ、必然であれ。

あるいは。ただ単に、運命の女神の気紛れ……だったとしても。

その瞬間《とき》に出逢った相手次第で『運《ツキ》』は鮮やかに微笑《ほほえ》みもすれば、逆に、取り付く島もないほど冷淡に背を向けたりもする。

僥倖《ラッキー》か。

災厄《アンラッキー》か。

振ったダイスの目がどちらへ転び、運命の白羽が何を指し示すのか……。それは、誰にもわからない。

『運』の明暗を分かつ吉凶は、常に表裏一体。

だが。未来へ至る『道筋』はひとつではない。

足下には、常に無数の選択肢がある。

そこで、何を選び。

どこへ、向かうのか。

踏み出すその一歩には。杓子定規《しゃくしじょうぎ》な『常識』もなければ、決まりきった『セオリー』もない。

ただ……。確固たる意志にしろ、無自覚にしろ。選び取ったその瞬間から、望むと望まざるとにかかわらず、視界の中にあるモノが常に変動するだけのことで。

人が人と『出逢う』ということは、そこから、新たに『何か』が始まるという予兆でもある。

人生に於《お》ける、喜怒哀楽。

それは、点と線で結ばれた双方向性であったり。

決して交わることのない平行線であったり。

あるいは、複雑怪奇な迷路であったりもする。

未熟と成熟。

その言葉だけでは計れない真《ボーダーライン》　実は人の数だけ在る。

人は、いつまでも無垢《むく》のままではいられない。

だからこそ、人間《ひと》は。『人生』という名の終着点を目指し、時のうねりの中で様々な『出逢い』と『別れ』を繰り返すのだろう。

たとえ。

それが。

因果律《うんめい》——という名の修羅の始まりであろうとも。


五年前のある夜。


リキは、イアソンに出逢った。

スラムという、牡《おとこ》だけの歪《いびつ》で殺伐とした世界《コミュニティー》。

満たされない苛立《いらだ》たしさとどうしようもない閉塞感《へいそく》に窒息しそうな気がして、身体の芯《しん》まで灼《や》けつく。そんな現実の重さに身も心も搦《から》め取られて目が眩《くら》み、真実の扉がどこに在るのかも知らず、

「スラムの雑種には、失う物など何もない」

そんなふうに、平然とうそぶいていられた頃のことである。


その夜。

いつもと変わりなく。

よくも悪くも、ミダスは猥雑《わいざつ》に過熱《ヒート》していた。

闇《やみ》に君臨する妖艶《ようえん》な女帝のごとく、目にも鮮やかな極彩色のスパンコールをちりばめた不夜の独裁者は。そこかしこで淫《みだ》らな嬌声《きようせい》を張り上げては妖《あや》しく肢体《からだ》をくねらせ、いつもと同じように、夜の静寂を貪《むさぼ》り喰っていた。

中でも。ミダス東端のエリア－8『SASAN《ササン》』に完備された観光客専用のスペース・ポートに直結したメインロードを彩るアーチ型のゲートは、ひときわ派手に光り輝いていた。

サリナス星雲に伝承されてきた故事の中から、ミダスの名に由来し、性愛《エロス》と業《カルマ》の極致とも言われる『ヴィラ神話《ナバス》』をモチーフにした裸女群は。それが、単なるレリーフだとは思えぬほど精緻《リアル》で美しく。且《か》つ、思わず足を止めて魅入《みい》り、その手を伸ばしてみたくなるほどに肉感的であった。

穢《けが》れを知らぬ聖女のように清楚《せいそ》で、神々しく。

同時に。性悪な淫婦《いんぷ》のごとく、人を堕落させずにはおかない甘美な毒を併《あわ》せ持つ。

その蠱惑《こわく》的な妖しさをことさらに煽《あお》るかのように、めまぐるしく点滅する虹色光線《レインボー・シャワー》は。人間の心の奥底に潜む欲望を根こそぎ引きずり出してしまわんばかりの華々しさでもって、人々を迎え入れた。

ゲートより先は、銃器はもちろん、護身用のナイフひとつ持っては入れない。

各エリアごとに、それぞれが独自の特色を打ち出しているとはいえ、巨大な都市が丸ごとひとつの歓楽街として成り立っているミダスの《ゲート》は、そういった意味での重要なセキュリティー・チェックポイントも兼ねているのだった。

ミダスの『ダブル・リング』の核を為《な》すカジノを中心にして放射状に伸びた大小のストリート群には、ネオンの途切れる谷間もない。そのどれもが、着飾った老若男女の嬌声と熱気で澱《おり》のように淀《よど》んでいた。

浮かれて歩く人の波は、実に様々である。

好き勝手に回遊する人の群れは肩が触れ合うほどに猥雑だが、誰も他人のことなど気にしない。

寛容ではなく、無関心。

誰もが皆、自分の欲を満たすことに忙しい。

そんな人波を縫うように、しなやかな身のこなしで歩いている者がいた。

青年《おとこ》——と呼ぶには、まだ年齢《とし》が足りず。誰が見ても、どこから見ても、固すぎる果実の青臭さばかりが目立つ——少年。

だからといって。思わず庇護《ひご》欲を掻《か》き立てられるような幼さもなければ、ひ弱さも見られない。

それどころか。少年期特有の伸びやかな四肢の張りには、金にあかせて着膨《きぶく》れた連中を横目で嘲笑《あざわら》うような、一種独特の小気味よさがあった。

いきなりの出会い頭に、誰もが、思わず目を奪われるような美貌《びぼう》ではない。

だが。一度視界に馴染《なじ》んでしまったら最後、その特異な存在感ごと、くっきりと強く印象を焼きつけてしまうようなシャープな顔立ちをしていた。

とりわけ。他人《ひと》と馴れ合うことすら知らないような不遜《ふそん》な黒瞳《こくとう》は、年齢不相応にきつい眼光《かがやき》を放ち。享楽に浮かれて盛り上がる周囲のムードとはいかにもアンバランスで、彼ひとりだけが鮮明に浮き上がってさえ見えた。

変に悪目立ちをする危視感《きし》——なのではない。

この場に馴染んでいるようで、決して他者とは混ざらない異質感——とでも言えばいいのだろうか。

すんなりとは流れない。

簡単に——流されない。

フワフワ……と。ザワザワ、と。誰も彼もが足が地に着かないようなざわめきの中で、ただ独り、足をしっかり地に着けて歩いているような。細身の身体には、そういう鋼《はがね》の芯が通っているかのようだった。

今の世の中。不老不死とはいかないまでも、金さえ惜しまなければ、容姿の美しさも若さも簡単に手に入る。

けれども。いくら大金を注ぎ込んでも決して手に入らないものもある。それが、持って生まれた『華《オーラ》』というものだ。

小柄だがしなりのきいた肢体ともども、その少年には、他人の視線を自然に釘付《くぎづ》けにして離さない独特の『艶《つや》』があった。

それが、リキだ。

持て余す若さと暴走する激情のレッド・ゾーン『ホット・クラック』の覇者。スラムの若者たちの間では誰一人知らぬものはない『バイソン』の頭《ヘッド》――と呼ばれる少年なのだった。

ミダス市民に蛇蝎《だかつ》のごとく忌み嫌われる、エリア－9『CERES《ケレス》』の住人。すなわち、スラムの雑種であるところのリキは、当然のことながら、眠れぬ夜の散歩がてら、ただ物見遊山にフラフラとやってきたわけではない。

れっきとした、仕事《ビジネス》である。

カジノへと続くメイン・ストリートは、夜ごと、様々な人種《ひと》であふれかえっている。その中から、いかにも懐《ふところ》が重そうな田舎者《いなか》――ロゴスやガラリアあたりの成金を見つけ出すのは、実に容易《たやす》かった。

通常、ミダスを訪れる観光客は現金《キャッシュ》を持ち歩かない。

その代わりに、胸のポケットやバッグの中は多種のカード類で膨れ上がっている。それを、いただくのである。

むろん。失敗すれば、それまでだ。

観光用のデモンストレーションでもある古風で優美な騎馬隊は別にして、ミダスを仕切る警護官《セキュリティー・ガード》はただのお飾りではない。

とりわけ、黒服軍団《ダーク・メン》と呼ばれるプレイゾーンのポリスは、過激に荒っぽいことで有名なのだ。

夜のミダスを闊歩《かっぽ》する観光客のすべてが、善良な訪問者《ビジター》だとは限らない。羽目が外れた観光客同士のトラブルはもちろんのこと、甘い蜜《みつ》に群がる無害な子羊がいれば、それを餌《えさ》に食い漁《あさ》る肉食獣《ケダモノ》がいても、なんら不思議ではない。

表向き、どんなに清廉潔白なスローガンを掲げてはいても。そこに《人》が存在する限り、我欲に満ちた『負《ゴミ》』の温床はなくならない。それが、人間の『宿業』というものだろう。

そういう寄生虫を未然に取り締まるのが、DM《ダーク・メン》と呼ばれるポリスの責務なのだが。ミダスの公式観光マップからもその存在自体が抹消されているケレスの住人——スラムの雑種など、端《はな》から人間扱いさえされてはいない。

運悪くDMに捕まって五体満足で帰ってこられる奇跡など、スラムでは誰も信じていないし。同情もしない。

それでも。

スラムの少年たちは、競うように夜のミダスをクルージングする。何と言っても、掏摸盗《すりと》ったカードが闇で高くさばけるメリットは捨てがたいからだ。

いや。

それ以上に。

多大なリスクを伴うそのスリルは、鬱屈《うっくつ》したスラムでの日常生活の過激な火遊び《ゲーム》として。または、仲間に迎い入れるための重要な儀式として。あるいは、己の度胸を他者に誇示するための。彼らにとっては、なくてはならない刺激剤《カンフル》なのだった。

スラムでは、子どもはすべて『ガーディアン』で一括管理保育される。

そして。子どもを産むことができない男は、十三歳になれば《成人》として、一律に自立を強制させられるのである。

どういう人生を歩むのも、本人の自由。誰からも干渉されなかった。

だからといって。臭い立つような汚穢《おわい》と閉塞感にまみれたスラムでは、努力次第で開かれる扉など、どこにもありはしないのだ。

ましてや。幸運を拾うチャンスは、万にひとつもない。

ミダス市民として認められる正式な身分証明《IDカード》がない。それはまさに、致命的であった。

成人――とは名ばかりの未成熟な少年たちに与えられるコロニーには、無気力な腐臭がこびりついている。その毒気に染まって堕《お》ちるには、一ヵ月もあれば充分だった。

スラムの中でのアイデンティティーと、己自身の存在意義。

そんなことをじっくりと腰を据《す》えて見つめ直す時間もなければ、余裕もない。

そうして。

嫌でも気付くのだ。

スラムで生き残るには、あれこれ考えるよりも、それなりに流されてしまうほうが一番楽な選択《こと》なのだと。

それが《逃げ》なのだとは、誰も言わない。

流されることは《逃げ》ではなく、生きていくための《手段》なのだ。この、救いようのないスラムでは。

閉塞と不安。

絶望と逃避。

そんな悲観論でしか語れない現実の重さが溶けて混ざり合い、スラムの垢《あか》になる。

そこで生き残るための最低限度のモラルとは、

『自分の尻《しり》は自分で拭《ふ》く』

ただ、それだけ……だとリキは思っていた。

スラムの雑種《クズ》と蔑《さげす》まれることなど、誰一人として望んではいないが。そこから這《は》い上がる気力も、術《すべ》もない。それが、今のケレスの真実《すべて》だった。

生命の尊厳など、このスラムでは安酒《ナッパ》程度の価値しかない。

他者への思いやりは、弱肉強食の掟《おきて》に相殺される。

だからといって。なけなしの矜持《プライド》までドブに投げ捨ててしまえば、本当のクズになってしまう。その――ジレンマ。

リキは、ただ、手ごたえが欲しかったのである。

『俺は生きているんだッ！』

――という確かな証《あかし》が。

骨董品《こっとう》に近いエアバイクを改造して、派手に暴走するのも。

仲間内で自堕落にツルむのも。

テリトリーを主張して過激に明け暮れるのも。

夜のミダスを漁り歩くのも。

そういう意味では、大した違いはないように思えた。

これは……と狙《ねら》いをつけた連中から、カードを掠《かす》め盗る。

張りつめた緊張感と、ほどよい鼓動の刺激。その狭間《はざま》で弾《はじ》き出される興奮は、密造された幻覚酒《スタウト》で上りつめる快感とは別の、一種独特の酩酊《めいてい》感にも似たものがあった。

ミダスは、夜ごと加熱する。

その熱をうまく身体の中に取り込んで自在にコントロールすることができれば、視線の先にあるのはいつだって極楽《パラダイス》だ。

逆に。煽られるだけ煽られて自分を見失ってしまえば——地獄《ブラック・アウト》。

その夜。

リキは、やることなすことツイていた。まるで、『幸運の女神《ジャミラ》』に熱愛されているかのように。

ゲットしたカードは、ポケットの中で膨れ上がっている。

だが。

それでも。

マダ、何カガ——足リナイ。

なぜか。今夜に限って、そんな飢渇感がどうしても抜けなかった。

理屈ではない。

錯覚でもなければ、ただの思い込みでもない。

薬《ドラッグ》をやってラリっているわけでも、ミダスの熱気に当てられているわけでもない。

ただ、いつもの高揚感とは違う。何かが……頭の芯が妙にチリチリと疼《うず》いてしょうがなかった。

だから——なのか。

「ツキが落ちてしまわないうちに、そろそろ帰ろうぜ」

ガイの忠告にも、素直に耳を傾ける気にもなれなかった。

「あと、ひと流し……だけな」

「——リキ。ヤバイって……」

さすがにガイも、そろそろ、ツキまくっているその反動を考えずにはいられなかったのだろう。

それくらい、リキにもわかっていた。

引き際を間違うと大怪我《けが》をする。

……だが。

「それで、終わりにする」

もやもやとしたモノを引き摺《ず》ったままでは消化不良の悔いが残りそうだった。

「シャレにならなくなったら、どうすんだよ?」

「大丈夫だって。ンな、ヘマしねーよ」

シグナルは、まだ『赤《レッド》』じゃない。

だから……たぶん。

(まだ、大丈夫)

他人はそれを、ただの思い込みというかもしれないが。そこらへんの『読み』を間違えて大怪我をしたことは、ただの一度もなかった。

で、なければ。『ガーディアン』を出てわずか二年足らずのガキが、スラムのクレイジー・ゾーンと言われる『ホット・クラック』を陥落《おと》せはしなかっただろう。

それでも渋るガイに無理やりカードをすべて持たせて、先ほど、別れたばかりだ。

過ぎた欲をかいて痛い目を見るのは、もちろん御免だったが。それよりも、今は、身体に巣くう飢渇感の方が勝った。

このまま勝ち逃げして、ガイと二人で祝杯気分でベッドに雪崩《なだ》れ込んでも、中途半端に疼いた熱が冷めるとは思えなかった。

いつにない飢渇感が――疼く。

それを自覚して、リキは今更のように自嘲《じちょう》する。

閉塞感に満ちた餓えも。

断ち切れない苛立たしさも。

そんなものは、胸糞《むなくそ》が悪くなるくらいの顔馴染みだった。なのに、今夜に限って、どうして、こうも掻き立てられるのだろうかと。

だったら。いっそすっぱりとヒートさせてしまったほうがまだマシ——のような気がしたのだった。

(あいつに……決めた)

目星を付けた獲物は、まったくの田舎者らしく。目に映るモノすべてが物珍しいのか、興奮ぎみに顔を紅潮させてあれこれと視線を跳ね上げるのに忙しい。

ミダスの毒気に当てられて、すっかり舞い上がってしまっている。そのせいで、どこもかしこも隙《すき》だらけであった。

(僕を喰ってください……って、感じ?)

あれならば、楽勝。

そんな気の緩みを、すぐに思考の外に押しやって。リキは視界の中の獲物《ターゲット》に歩調を合わせ、つかず離れずの距離を維持した。

いつものように、頭の中で軽くリズムを刻んでタイミングを計る。

それから。ゆったりとした足取りで歩み寄っていく。

そして。

もうすっかり、身体の隅々にまで馴染んでしまった、あの密《ひそ》やかな快感に酔いしれようとした——瞬間。
不意に。
背後から抱きすくめられるように、いきなり手首をつかまれて。
（——ッ！）
リキは、その場で凍りついた。

ナンダ？
ドウシタ？

わけのわからないパニックで、一瞬、視界までもが真っ白になる。
まさか。
……まさか。
（しく…じった……？）
そして。
今まで、一度も味わったことのない現実の恐怖を具現するかのように、突然、
「そういうマネは、あまり感心できんな」
冷たくしなるようなクール・ボイスが頭の芯を突き刺した。
（……いッ！）

思わず呑《の》んだ吐息が喉元《のどもと》で引き攣《つ》り。リキは、全身が総毛立つのを感じた。

マズった。

——ミスった。

——しくじった。

その言葉が猛毒を垂れ流しながら、眼底を真っ赤に灼く。

身体中の筋という筋が強《こわ》ばりついて、動けない。

——動カナイ。

舌の先まで冷たく痺《しび》れきって、唇の震えが止まらない。

——止メラレナイ。

ただバクバクと、異様に逸《はや》る鼓動だけがリキを呪縛《じゅばく》する。つかまれた右手首に食い込む指の力強さが、リキの命運を左右する唯一の《枷《かせ》》であるかのように。

(…っそぉ……)

ギリと奥歯を噛《か》み締める。

ヤバイ。

……どころではない。

これから先の展開が嫌でも読めてしまって、リキは、ズキズキとこめかみが疼くのを意識しないではいられなかった。

(……どう、する?)

足下に目を落として自分の靴先をキリキリ睨《にら》み、リキは、弾け上がった鼓動を無理やりねじ伏せ。バラバラになってしまった思考を、必死で掻き集める。

このまま、シラを切り通すか？

幸い……というべきか。リキはまだ、カードを掏摸盗ったわけではない。

それならば、まだ、活路はある。

つかまれた手を力ずくで振り切ることはできないだろうが。このまま、何もしないであきらめてしまったら、即、地獄行きだ。

だから。リキは、必死で考える、この先――『何』を『どう』すればいいのかを。

そんなリキの頭越しに、

「おい、どうした。何をしている？　早くしないと遅れるぞ」

質《トーン》の違う別の声が、被《かぶ》さってきた。

「なんだ？　こいつは」

あからさまに訝《いぶか》る声。その声の主が、何の許しもなく、項垂《うなだ》れたままのリキの左の耳朶《じだ》を無造作にまさぐり、

「認識票《バーム》がない。……雑種か？」

蔑みのこもった口調で吐き捨てたとき。

（ミダスの……自警団、か？）

リキは、嚙み締めた奥歯を更にギリギリと軋《きし》らせた。

ここ、ミダスでは。市民はすべて、IDカードの代わりに『Parsonal Access Memory』と呼ばれる5ミリ程度の特殊な生体チップを耳朶の裏に埋め込んでいる。

男は左耳。

女は右耳。

年代別にカラーリングされたその認識票で、市民は一括管理されるのだ。身体的特徴はむろんのこと、DNAパターンまで詳細に。

同時に、それは。彼らの行動を著しく制限するための枷にもなっており、各エリア間の行き来はもちろん、定められた生活圏《テリトリー》以外の地域への移動は原則として禁止されている。

つまりは。『ゼイン』と呼ばれる絶対身分制度が視《み》えない檻《おり》となって、彼らを拘束しているのだった。

もし、許可もなく……あるいは、掟《ルール》を破って『外』への逃亡を謀《はか》ると。わざわざポリスの手を煩《わずら》わせるまでもなく、『PAM』に仕掛けられたウイルスによってたちどころに悶死《もんし》した。

それは、かつての『ケレス事件』の教訓でもあったのだろうが。逆にそのことが、不条理な現実を生む一端にもなっていた。

ミダス市民である証の『PAM』を持つことで彼らが厳しく行動を規制されるのとは対照的に、雑種《クズ》と蔑まれ、腐れ落ちていく自由を持て余すだけのリキたちが自由にミダスを闊歩できるという。それは、まさに、実に奇妙で皮肉なパラドックスであった。

その『PAM』がないということは、市民ではなく観光客《ゲスト》——という見方が常識的なのだろうが。ある意味、衣装ひとつにも『金』と『見栄《みえ》』が幅をきかせるミダスにおいて、誰がどう贔屓目《ひいきめ》に見ても、リキは、辺境のドラ息子にすら見えなかった。

ましてや。スラムの雑種にとって、ミダスの自警団はまさに天敵だった。

一般市民《ミダス》と雑種《ケレス》の確執が深い分、下手をすれば、ＤＭなどよりももっと、ずっとタチが悪かった。

いかに、やり方が荒っぽいとはいえ。ミダスの公僕《ポリス》はトラブルさえ起こさなければ、まず出張っては来ないが。自警団は、違う。

『ミダスのおこぼれを拾い食いしている害虫は一掃しなければならない』

そんな過激なスローガンを合い言葉に。彼らは、俗に『雑種狩り』と呼ばれる粛正《しゆくせい》に異様な執念を燃やしている。

雑種である正体が暴露されれば、ただ歩いているというだけでも有無を言わせず、一般人には見えない裏路地に連れ込んで袋叩き《ふくろだた》にする。

もちろん。そんな理不尽を、スラムの住人が唯々諾々と受け入れるはずもなく。やられたら倍返しが当然——とばかりに、派手な流血騒ぎを起こしてケレスに逃げ帰るのが常であった。

自警団もポリスも、エリアの境界線を越えてまでは執拗《しつよう》に追ってはこない。

それは、ミダス市民が『ＰＡＭ』という視《み》えない鎖で束縛されているからにほかならないが。

ケレスの住人たちは、

『あいつらは、ケレスに一歩でも足を踏み入れたら最後、スラムの毒にやられて身体の芯まで腐ってしまうとでも思っていやがるのさ――』

皮肉と自嘲を込めて、そんなふうに吐き捨てる。

たとえ真実がどうであれ、ミダス市民がどれほどの嫌悪と蔑みでもって自分たちを見ているのか、その厳然たる事実を否応なく鼻先に突きつけられる瞬間でもあった。

もっとも。

自警団にしろ、ＤＭにしろ、今のリキにとっては最低最悪な状況であることに変わりはなかった。

「悪いが、先に行ってくれ」

「それは、かまわないが……」

「すぐに、終わる」

「変なモノを拾い食いはするなよ」

「そこまで、暇ではない」

「なら、いいが……」

頭越しで平然と交わされる会話の、傲慢《ごうまん》さ。

とたん。

リキは。

自分の置かれている状況さえ一瞬忘れてしまうほどの胸糞悪さに、眼底がキリキリ疼くような気がして。思わず、ムッ…と視線を跳ね上げた。

しかし。

跳ね上げた視線の先にいるのが、柔らかなウエーブのきいた美事な金髪の美丈夫だと知るや、

（ま…さか――ブ…ロン、ディー……？）

さすがのリキも半ば絶句して、ゴクリと息を呑んだ。

タナグラのエリートの頂点に立つ最高位の『ブロンディー』との、思いもかけない接近遭遇。

『ブロンディーが、なぜ？』

――でも。

『どうして？　……こんなところにいるのか』

――でもない。

想像をはるかに超えたこの状況が理解できずに、リキは、ただ呆然《ぼうぜん》と立ち尽くすばかりであった。

だが。

他者を睥睨《へいげい》することに慣れきった――としか思えないほどに威圧的な金髪の美丈夫は、そんなリキの驚愕《きょうがく》ぶりなどまったく歯牙《しが》にもかけず。いや、それどころか、スラムの雑種など眼にするだけで視界の穢れだと言わんばかりに、ジロリとひと睨みするや、

「じゃあ、先に行っているぞ」

そのまま、あっさり踵《きびす》を返した。

その後ろ姿が人波に溶けてしまうのを、リキは、瞬きもせずに見送る。

そして。詰めた息を深々と吐き出して——初めて、リキは知った。あからさまに突き刺さる、あまたの視線の真っ只中にいる自分を。

不本意——どころではない。

最悪の底まで抜けてしまったかのような、まったくの凶悪ぶりであった。

そうして。あのブロンディーと平然とタメ口を交わしていた、もう一人の男。背後から自分を拘束している人物へと、

（やっぱり——そう、なのか？）

今更のように、ぎくしゃくと視線を這わせた。

（…………）

頭ひとつ——いや、それ以上は優にある高みから自分を見下ろす、その顔は。先の美丈夫に勝るとも劣らない、いわずもがなの超絶な美形であった。

過ぎたる《美》は、それだけで本能的な畏怖《いふ》すら呼び覚ますのか。一分の隙も甘さもない、まさに『超人《エリート》』と呼ぶにふさわしい怜悧《れいり》な美貌は、それゆえに、ゾッ…とするほどの酷薄さを感じさせずにはおかなかった。

最高位の権力の象徴でもある、豪奢《ごうしゃ》な金髪。

他者を威圧せずにはおかない、麗姿。

傲慢と決めつけるには侵しがたい品位すら醸し出す美神が、そこにいた。

それが、イアソン・ミンクだった。

「遊びなら、やめるんだな。ああいうマネは……」

手首に食い込む指のきつさとは裏腹の、あまりにも冷ややかな口調だった。

説教じみたニュアンスとは程遠い、その白々しいほどに冴えたクール・ボイスが、もろにリキのコンプレックスを逆なでにした。

「よけいなお世話だッ」

とたん。衆人環視の人垣から、驚愕まじりの非難と嘲笑が一斉に巻き上がった。

「なんだ、あのバカは」

「タナグラのブロンディーも知らないなんて、あれは、どこの田舎者だ?」

「天下のブロンディーさまに喧嘩《けんか》を吹っかけるなんぞ、とことん命知らずなガキだぜ」

そんな周囲の雑音などは黙殺して、リキはムラムラと込み上げるモノを視線に込めて、露悪的とも思えるほどの不遜《ふそん》さでイアソンを睨み上げた。

「ンな、くだらねぇ説教カマす暇があったら、さっさと、ポリスでもなんでも呼べよ」

圧《お》し殺した声音の低さにも、それと知れる嫌悪と反発がこもる。

何事にも動じないはずのブロンディーの蒼眼が、ほんの一瞬……わずかに眇《すが》められるほどに。

それは。媚《こ》びることを知らない、雑種の性《さが》――なのか。

それとも。『バイソン』の頭《ヘッド》としての、譲れない意地か。

スラムの雑種には己の生命《いのち》以外、失うモノなど何もない。

そんな、その場凌《しの》ぎの居直《ハッタリ》りが通じる相手ではないと知りながら、それでも、リキは目を逸《そ》らさなかった。

相手が『どこ』の『何様』であろうが。気圧《けお》されて目を背けてしまえば、それが弱みになる。スラムでは。そんな瑣末《さまつ》なことですら、即、足下を掬《すく》われかねない命取《アキレス》りになるのだ。

たとえ、ここが、そんな過激な抗争とは無縁なミダスであっても、身に染みついた垢は取れないものなのかもしれない。

相手がタナグラのブロンディーであろうとも、自分から跪《ひざまず》いて足の裏を舐《な》めるような不様な恥《マネ》は曝《さら》したくない。

人は、それを。ちゃちなプライドだと、言うかもしれない。

だが。誰に嘲笑われてもかまわない。

それが嘘偽りのない、リキがリキであることの譲れない矜持《きょうじ》であった。

なのに。

イアソンは。

そうやって、誰かれかまわず牙を剝《む》くことの愚かさをあげつらって侮蔑《ぶべつ》するわけでも、ブロンディー相手に、きっちり対戦《バトル》モードに入るリキの無謀さを皮肉るでもなく。それどころか、眉《まゆ》ひとつ動かさず、

「気をつけるんだな。二度目はないぞ」

そう言い捨てると。あっさり、背を向けた。

——瞬間。

思わぬ肩透かしを喰わされたような錯覚に、

「え——？」

思わず一言洩《も》らして、リキは絶句した。

まるで、洟《はな》にも引っかけてもらえない——その冷ややかさに、憤怒が煮えたぎる間もなかった。

リキは、啞然《あぜん》とイアソンの背を凝視する。先のブロンディーを見送ったときとは違う、奇妙なほどの屈辱とわけのわからない飢渇感に喉を灼きながら。

そこで。

そのまま。

酷薄な冷気をまとったイアソンの背中を黙って見送ってさえしまえば、それで、すべては何事もなく終わるはずだった。

有ったことが無かったことになる。

どういう理由であれ。それは、リキにとっては奇跡のような幸運以外の何物でもなかったはずだった。

天下のブロンディー様が、ありがたくも『そうしてやる』と言っているのだ。

ならば。その気が変わらないうちに、すぐさま踵を返してそこから走り去るのが、賢い選択というものだろう。

だが。

リキは、そうしなかった。

いや――できなかった。

闇に煌《きら》めくイアソンの金髪が視界から完全に消え去ってしまう前に、その一歩を踏み出してしまったのだ。まるで、抗《あらが》いがたい何かに背を押されるように。

踏み出した足は、止まらなかった。

それと知らず。

ただ、イアソンの後ろ姿を見失うまいと。リキは、憤然と後を追いかける。

踏み出したその足が、渇望と挫折《ざせつ》、陶酔と屈辱が混濁した出口のない迷路にはまり込んでしまう『運命の第一歩』になることなど、まったく気付きもせずに。

リキは足早にイアソンを追った。

唇をきつく噛み締め。灼けつくような視線で、ただ前を見据えたまま。

(タナグラのエリートなんかに、ケタクソ悪い借りなんぞ作ってたまるかよッ)

それしか、頭になかった。

手痛いヘマをしでかして、それでも、ポリスに突き出されずにすんだ強運《ラッキー》に感謝して、心底ホッ…とする。

そんなことなど、頭の片隅にもなかった。

タナグラを統《す》べるエリートの頂点《トップ》に君臨するブロンディーが、スラムの雑種を相手に『無償の善意』など、ただの気紛《ブラック・ジョーク》れだとしてもタチが悪すぎる。

あまりにも胡散臭《うさんくさ》すぎて、笑おうにも笑えない。なぜか、ヒクヒクと唇が引き攣り歪《ゆが》むだけだった。

『自分のケツは自分で拭く』

自堕落に荒《すさ》みきったスラムで、それが唯一、リキの矜持になった。

いきなり投げ与えられた、思ってもみない『好意』。それを額面通り受け取るには、ある意味、スラムは歪んだ弱肉強食の世界でありすぎたのだ。

いや……。

もっと、はっきり言うのであれば。異端であり続けた『ガーディアン』の籠《おり》の中ですら、すでに、リキはプライドの何たるかを知っていた。

自分にとっての、唯一、譲れないモノ。

しかし。

(なんか……絶対、裏があるッ)

——などと。

『なぜ?』

『どうして?』

そこまで、頑《かたく》なに思い込んでしまったのか。

それは。リキ自身にも、わからなかったに違いない。

ただ……。

鼻先で軽くあしらわれた屈辱を黙って呑み込んでしまうには、リキはあまりにも若く。それゆえに、自尊心も半端ではなく。

そして。それ以上に、タナグラの『ブロンディー』の何たるかを知らなすぎたのだ。

今、自分が為そうとする行為の代償が、この先、どれほどの後悔をもたらすか――などとは。

煮えたぎったリキの頭の中には、欠片《かけら》も存在しなかった。

見据えた視線の先にあるのは、黄金の輝き。

その金髪が、リキには想像もつかない『権力』の象徴《シンボル》であるがゆえに。イアソンを追うのは、思ったよりもずっと容易《たやす》かった。

なぜなら。イアソンが歩いた後は、必ずと言っていいほど完璧《かんぺき》に人波が割れるからだ。誰もが一様に、その美貌に目を奪われ。

一瞬――足を止め。

惚《ほう》けたように、次々と振り返る。

そして。

それが、かの有名な『タナグラのブロンディー』であることを知って、更に息を呑むのだ。

イアソンが身にまとう威厳と気品に圧倒されて。

まるで……。美神のごときその強烈な存在感に、人々がこぞって平伏《ひれふ》すかのように。

そんな衆人環視の中。リキは息を弾ませ、ためらいもなくその腕をつかんだ。

「おい、待てよッ」

とたん。

当然のことのように、嫉妬《しっと》と非難まじりのどよめきが上がった。

「なんだ、あのガキは？」

「……誰なんだ？」

「ブロンディー相手に不遜な口をきく、あいつは——誰だ？」

イアソンは。そんな周囲のざわめきに動じるでもなく、口に出してリキの不作法を咎《とが》めもしなかったが、

『何だ？』

無言で問いかける視線の冷ややかさは、また格別だった。

それでも怯《ひる》むことなく、

「なんで、見逃してくれるんだよ」

真っ正面から切り込むように、リキが咬《か》みつく。

だが、

「ただの気紛れだ」

冷然としたイアソンの口調は微塵《みじん》も崩れなかった。

それが無性に癇《かん》にさわり、リキは露骨に眉をひそめた。

あからさまな侮蔑以上に、安っぽい哀れみには虫酸《むしず》が走る。

理屈ではない。

何のコントロールもされていないスラムの雑種という野性児の、それは無条件の反発と言ってもよかった。

「俺は、人に借りを作るのはキライなんだ。特に、あんたみたいな、お偉いエリートさまにはな」

「ほぉ……。人の親切に、難くせをつけるのが趣味なのか」

(この…ヤローッ!)

思わず怒鳴りたくなるのを奥歯で嚙み殺し、リキはイアソンを睨みつけたまま、

『ちょっと、顔を貸せよ』

──とばかりに、横柄に顎《あご》をしゃくった。

イアソンは。

『否《ノー》』

とも、

『諾《イエス》』

とも応《こた》えない。

しかし。リキがフテ腐れたように歩き出すと、あろうことか、無言で肩を並べてきたのだった。

半ばヤケになっての誘いかけに、タナグラのエリートが応じたのである。

(──マジ、かよ?)

自分でムチャクチャ傲慢な啖呵《たんか》を切っておきながら、今更のように声を咬んで、リキはかすかに顔を強ばらせた。

もしかして……。

もしかしたら、自分は、何か……とんでもないことをしてしまったのではないだろうか——と。

そして。それっきり、二人の間で言葉は失せた。

*****8

それは。

夜《やみ》に咲いた徒花《あだばな》のごとく、誰の目にも奇異な道行きとしか思えない二人連れだった。

しなやかな足取りで歩く姿にさえ尋常ではない気品と威厳を放つ、怜悧な美貌のブロンディーと。いかにも不遜な顔つきで不機嫌なオーラを垂れ流して肩を怒らせる、スラムの雑種。

両者の圧倒的な体格差もさることながら。誰が見ても一目瞭然《いちもくりょうぜん》と言うべき、その身分違いのギャップも甚《はなは》だしい光景に誰もが驚きの目を瞠《みは》り。

声を呑んで、ただ――凝視する。


イッタイ、あれハ、何ノ冗談ナノダ？


――と。

名にし負うブロンディーと肩を並べて歩くには、同じブロンディー以外、どのようなタイプの美女の首をすげ替えても違和感は拭《ぬぐ》えない。

それは、単なる皮肉でも暗黙の了解でもなかった。

究極の『美』と。

完璧な『知性』と。

絶対なる『権力』。

その頂点《トライアングル》に君臨する、タナグラの『ブロンディー』に対する畏怖と羨望《せんぼう》の証《あらわれ》でもあった。

なのに——である。

見るからにギャップのありすぎる二人が、そうやって肩を並べている様は。ただの視覚の暴力《ゆがみ》というよりはむしろ、不可解な、ノイズまじりのアンバランスな吸引力さえ感じさせた。

醸し出すのは。金色に輝く氷塊の酷薄さと、漆黒の熱き奔流。

そして。本来ならば、決して交わるはずのない境界線の狭間にある、ごくわずかな共鳴体《シンパシー》
享楽を求めて不夜城を回遊する人群れの中で、彼ら二人だけが唯一、異端であるかのように。

……。


メイン・ストリートの賑《にぎ》わいから外れた裏通り。

それだけで、闇は、少しだけ濃くなり。熱を孕《はら》んで吹き抜ける風は、わずかに澱《よど》みを増した。

対して。道行く人の数は——半減する。

更に、そこから路地裏へ。錯綜するビル群の谷間の闇は、ますます深くなる。

勝手知ったる足取りでそこを抜けていくリキの足取りは、何の乱れもない。

その間。

一度も……。

ただの一度たりとも。リキは、イアソンを振り返らない。

ついて来るのを確信している——のではない。

あえて、言うのなら。無言のまま背後から威圧するイアソンの真意を図りかねて、リキはらしくもなく、半ば途方に暮れている——のだった。

（……どうする？）

その言葉だけが、ズクズクと頭の芯を掻き毟《むし》る。

下手な悪目立ちどころか、派手に目立ちまくりのブロンディーを尻にくっつけたまま、この先ずっと、ただ当てもなくミダスをクルージングするわけにはいかない。

かと言って。

今更。いいかげんな理由をこじつけて、どこかで適当に別れる——というわけにもいかなかった。

自分が、本当は何を……どうしたいのか。

——わからない。

それを思うと。嚙み締めた奥歯の隙間から、

（…っそォ……）

思わず、舌打ちが洩れた。

この期に及んで、リキはすっかり、自分で自分の気持ちを持て余していた。

それでも。グツグツ煮えるような脳味噌《あたま》をどうにか振り絞って、

(やっぱり、あそこ……しかねーか)

答えを引き摺り出す。

いっそすっぱり腹を決めてしまえば、リキの足取りには微塵の迷いもなくなった。

裏通りから、更に路地裏へ。

BAR『ミノス』……。

どっぷりと深い闇にともる看板《ネオン》の下でいったん足を止め。リキは、何の変哲もない、薄汚れたドアを睨んだ。

背後のイアソンは、相変わらず無言のままだ。

なのに。その気配だけで、傍《はた》迷惑なほどに存在感を主張する。

『……で？　おまえは何を、どうしたいんだ？』

とでも、言いたげに。

だから、リキは。

(うだうだ考えててもしょうがねー。まっ、なるようになるさ)

思いきりよく、そのドアを押し開けた。

中は、かなり暗かった。目が慣れてこないと、不安で一歩も動けない。そういう類《たぐ》いの暗さ

だった。

正面に三ヵ所、闇に浮かび上がるような薄灯りが点《とも》っている。

中央に《青》。

左右には、それぞれ《赤》と《黄》である。

そこで初めて、リキは有無を言わせずイアソンの腕をつかみ。《青》の灯を目指して、探るような足取りでまっすぐ歩きだした。

間近に来て、よくよく目を凝《こ》らすと。その青い蛍光色が扉のノブになっているのがわかる。

リキはノブをつかむと、ゆっくり、左へ回した。

――カチッ。

わずかだが、確かな手ごたえがある。噂《うわさ》に聞いた通りだった。

その『噂』を耳にしたときは、よくある話の成り行き上のことだけで。盛り上がる周囲の雰囲気に水を差すわけでもなく、リキとしては適当に相槌《あいづち》を打つだけで何の興味も関心もなかったが。でも、まさか……。自分がその噂を実践することになろうとは、さっきの今まで、考えたこともないリキだった。

そのまま手を放すと。扉は二人を招き入れるように、かすかな唸《うな》りも上げず、滑るように内側へ開いた。

扉の向こうも、相変わらずの――闇だ。

二人が同じような足取りで中に入る。

――と。

扉は自動的に締まり、ロックされた。

とたん。

足元から淡い白光が浮き上がり、二人をそちらへ促すように点滅した。

そのまま歩いていくと、またしても扉だった。

(なんだ……また、かよ)

いいかげん、うんざりして、リキが舌打ちを洩らす。

しかし。

それが、果たして扉と言えるのかどうか……。ノブどころか、開閉のためのスリットもない。

一見してそれは、ひんやりと冷たい壁のようにも見えた。

一瞬。リキは戸惑った。

(…って、おい。どうすんだよ?)

すると。まるで、リキの問いかけに応えるように、いきなり視界が全開した。

(な…ッ!)

軋みも上げずに扉が開いた――のではない。今の今まで『壁』だとばかり思っていたそれが、突然、消え失せてしまったのだ。

さすがのリキも、声がない。

いや……。

不意に、視界をざっくりと抉《えぐ》るように飛び込んできた鮮やかな緋《ひ》の色が、まるで、そこら中に鮮血をブチ撒《ま》けたような錯覚さえ起こさせて。リキは、情けなくも、思わず喉を痙《つ》らせてその場で立ち竦《すく》んでしまった。

が——それも。次第に目が慣れ、それが《血の海》ではなく真紅の分厚い絨緞《じゅうたん》だと知って。

リキは、今更のようにゴクリと唾《つば》を呑み込んだ。

（…ク、ショー……。脅かしやがって……）

そんなバツの悪さを蹴《け》り潰《つぶ》すように、ことさら大股でドカドカと中に入り。リキは睨みつけるように鋭く、あたりに視線を巡らせた。

その部屋は。妙に時代がかった豪華なシャンデリア以外、何もなかった。

シンプルというにはあまりにも殺風景すぎて、妙に居心地が悪い。

すると。

そのとき。

突然、シャンデリアが回転しはじめた。軽やかな音色を奏でながら、わずかな軋みもなく、ゆるやかに……。

十二本のアームの先でクリスタルの鎖が優雅に揺れるたび、微妙に色が変化していく。その、感嘆に値するほど妖しげな色合いに見惚《みと》れていると、やがて、音楽がスッ…と掻き消えた。

同時に。シャンデリアも静止する。

——と。

今度は。

アームが一本、壁へ向かってゆったりと伸びた。

そうして。その先端から投げキッスでもするように、蒼《あお》いレーザー光線が放たれた。

とたん。壁は、そこだけ切り取られたかのようにポッカリ消えてなくなった。

(どう…なってんだよ、いったい……)

中は、大人二人が肩を並べて通れるほどの通路になっていた。

通路の両側には、どれもみな、同じような扉が並んでいる。

ただ、その中の幾つかは『使用中』であるらしく、古めかしい造りのランタンの灯が消えてはいたが。

リキは赤い灯が揺らめく扉を押すと、促すようにイアソンを見やった。

まさか、こんなわけのわからないところに連れてこられるとは思ってもいなかっただろうに、イアソンは眉ひとつひそめない。その憎たらしいほどのポーカーフェイスぶりに、リキは、憮《ぶ》然《ぜん》と視線を尖《とが》らせる。

タナグラのエリートは、脳以外はパーフェクトな人工体であると聞いていたリキだが。徹頭徹尾感情の動かないその冷たい美貌を見ていると、

(こいつって、もしかして、脳味噌《のうみそ》まで機械でできてんじゃねーのか?)

つい、そんなふうにも勘繰ってしまいたくなった。

表向き『ミノス』は酒場の看板を掲げてはいるが。その実態は、娼館《しょうかん》であった。

もっとも。迷路のような路地裏に店を構えているため、素の客がついフラリと立ち寄ることなど、まず——ない。

もしかしたら、ミダスの公式観光マップにも記載されてはいないのではなかろうか。そんな、知る人ぞ知る——言わば、曰《いわ》く付きの娼館なのだった。

暗闇の中の入口は、それぞれ、

『娼館《レッド・ゾーン》』

『男娼館《イエロー・ゾーン》』

『連れ込み館《ブルー・ゾーン》』

三種に分かれており、入って出るまで、他人と顔を突き合わさずに済むようになっていた。

料金はカード払いなしの、現金《ミダス・コイン》オンリー。部屋のドアが自動ロックされると同時に時間が表示される後払いシステムになっていた。

リキがここを選んだのは、ほかでもない。料金さえきちんと払えば、どんな客でも——たとえ相手がスラムの雑種でも選り好みしない、唯一の場所だと聞いていたからだ。

同性間——つまりは男同士のセックスが常識のスラムでは、まともな『異性《おんな》』を抱ける幸運など、どこにも落ちてはいない。

ケレスでは、子どもを産むことのできる女性は唯一の《貴種》なのだ。

だからといって。人口比率で女の数が一割に満たないスラムであっても、男が性転換をして『女』になれば珍重されるわけでもない。

女《フェイク》もどきは、あくまで偽物《フェイク》なのだ。

タメを張る資格のない半端者——と蔑まれることはあっても、その逆はない。

スラムはある意味、最も原始的な『弱肉強食』の世界である。

そこで生きていくために必要とされるのは、容姿の美しさでも、ウソ臭い人望でも、おためごかしの優しさでもなく。ましてや、押しつけがましい正義感でもない。

唯一、求められているのは、牡《オトコ》として皆の前で誇示することのできる『力』の有無であった。

故に、体格の優《ハンディキャップ》劣も、性的嗜好《しこう》も、あるいは——人間性に多少の難があっても。他者を従わせるだけの『器量』があれば、男の面子《メンツ》を疎外する要因にはならない。

体格のハンデは『頭のキレ』で充分補えるし、セックスはあくまで個人的な主義の問題であるからだ。

当然。『力』も『知恵』もない者は、否応なく他者に搾取《さくしゅ》される。それが辛《つら》いと嘆いても、誰も同情などしない。

とはいえ。現実問題として、強姦《ごうかん》・輪姦《りんかん》といったセックス絡みのトラブルはそれこそ日常茶飯時で、凄惨《せいさん》なリンチの果てに双珠《タマ》を潰され男根《ペニス》を切り裂かれることも、取り立てて珍しい事件にもなりはしなかったが。

自分の身は自分で守る。

それが、スラムの鉄則なのだ。

男だけの歪《いびつ》な社会で『牡』の象徴でもある男根を喪失するということは、すなわち、正当な

『男』としての価値を剝奪《はくだつ》されたも同然の異端者なのだった。

それゆえ。誰も、自ら落伍《らくご》者であることを望んで『女もどき』になりたいとは思わない。

しかし。

ミノスでは、金さえ払えば、時間単位で『本物の女』を買ってセックスを楽しむことができる。

それは。スラムの雑種《おとこ》にとって、本当に夢のような時間を持てる唯一のパラダイス――であると同時に。男であれ、女であれ、自分たちを『雑種』と蔑むミダス市民を《金》で屈伏させることができるという、一種、倒錯的な昏《くら》い欲望を満たしてくれる愉悦の園でもあった。

更には。客層を選ばないミノスの部屋子は、ほかの娼館付きの男女に比べて、ダントツに美形度が高い――という噂だった。

真偽のほどは確かではないが。彼らはすべてペット崩れではないか――とも言われている。

俗に言う『口コミ』であるところの隠れた人気スポットとしての秘密の一端は、もしかしたら、そんなところにあるのかもしれない。

もっとも。リキに限って言えば。それを自分の目で確かめてみたいという欲も興味もなかったが。

今夜、こんなふうな……予想もできない展開にでもならなければ、たぶん『ミノス』のドアを潜りたいとも思わなかっただろう。

わざわざ金を払ってまで、誰かとセックスをしたいとは思わない。

性欲が淡泊すぎるのではなく。セックスを含めて、基本的にリキは、ペアリング・パートナーであるガイ以外の人間に関心が向かないのだ。『バイソン』の頭《ヘッド》と呼ばれるようになっても、それは変わらない。

『ガーディアン』でガイに出会う以前。リキが唯一と信じていた『世界』が壊れてしまうまでは、守りたい者も失いたくない物もあったが。それも今は、無い。

だから。正直に言ってリキは、なぜこういう展開になってしまったのか……。自分でも、よくわからない。

身体の芯からフツフツと滾《たぎ》る感情を御しきれずに、自分で自分を持て余す。そんなことは『ガーディアン』以来のことだった。

しかも。相手は、タナグラのブロンディー。

まるで、笑おうにも唇の端が引き攣って笑えないブラック・ジョークのようだった。

部屋の中に入っても、二人は相変わらず無言だった。

イアソンは長い足を持て余しぎみにソファーに深く背をもたれ、ベッドの端に浅く腰掛けたままのリキの出方を窺《うかが》っている。

そんなこれ見よがしの沈黙に焦《じ》れて、リキは居心地悪そうに唇を舐めた。

そうやって、何の歩み寄りもないまま十分が過ぎた。

それが、リキの我慢の限界だった。

リキは派手に服を脱ぎ捨て、ベッドにもぐり込んだ。

とはしなかった。
だが。イアソンは無遠慮に冷めた視線を送って寄越すだけで、自分からは眉ひとつ動かそう
ついに焦れて、リキは声を荒げた。
「オイッ。いったい、いつまで、ダンマリをやってるつもりなんだよ。ここまで来て、ブルこ
たぁねーだろ？　さっさと済ませてしまおうぜ」
すると。イアソンは平然と言い放った。
「狙った的が外れたときは、いつもこんなふうに、男を咥《くわ》え込んで稼ぐのか？」
低く張りのあるクール・ボイスには、あからさまな嘲笑《ちょうしょう》さえ薫《かお》る。
「あいにくだが。わざわざスラムの雑種《クズ》に手を付けるほど、わたしは酔狂ではないし、暇を持
て余しているわけでもない。欲しくもない口止め料をこんなふうに押しつけられるのは、不本
意——と言うよりはむしろ、迷惑千万だ」
リキは、顔面に朱を刷《は》いた。
土足でプライドを踏みつけられた上に唾《つば》まで吐きかけられたような気がして、思わず、唇も
わななかいた。
しかし。
「それとも。何か……下心でもあるのか？　下世話にも、タダより高いものはない——と言う
からな」
そこまではっきり言われて、今度は、スッ…と血の気が引いていく思いがした。

下心……？

（それを言うなら、俺じゃなくて、てめーにあるんじゃねーのかよッ？）

ブロンディーが『ただの気紛れ』でスラムの雑種を助ける。リキには、そのことのほうがよほど信じられなかった。

――いや。

何かわけのわからない蟠《わだかま》りを抱えて苛ついているのが自分だけなのだと思うと、無性に腹が立ってしょうがなかった。

だが。それも。ここまで辛辣《しんらつ》にコケにされて、かえって、すっぱりと肝が据わった――と言うべきか。

ブロンディーの威光に怖じけてそのまま項垂れてしまうくらいなら、初めから、こんなところに連れ込んだりはしない。

ただ……。

ブロンディーがタナグラの『最高位』と呼ばれることの真意も知らず。それどころか、単なる『特権階級』の支配者――程度の認識しか持ち合わせていないリキは。ある意味、恐ろしく怖いモノ知らずの『子ども《ガキ》』でしかなかったのだ。

「その気もないいんなら、なんでノコノコついてきたんだよ。スラムの雑種と面《ツラ》を突き合わせて、仲良くお話し合いでもする気だったのか？　抱けよ。言っただろ？　人に借りを作るのはキライなんだ」

イアソン相手に、そんな無謀な啖呵を切れるくらいには。充分に……。

「プレイゾーンのポリス・センターがどんだけ酷《ひど》いところか……。あんたみたいなお偉いさんには、きっと、想像もつかねーだろうよ。あそこじゃ、俺たちなんかクズ同然だからな。ドジ踏んで、取っ捕まって、顔が変形するまで殴られるのなんか、別に珍しくもねーし。挙げ句にズタボロになるまで輪姦《まわ》されて、最後はダストシュートに投げ捨てられんのがオチなんだよ」

それが、ただの『噂』でも誇張された『戒め』でもないことくらい、スラムの住人ならば誰でも知っている。

ミダスのＩＤを持たない。

ただそれだけで、まともな人間扱いをされていないという現実は、動かしがたい事実として確かに存在するのだ。

「そういうの、腐るほど見てきたんだ。だから『どうぞ、お好きに』…って、言ってんだよ。タナグラのエリートさまは『何でも人並み以上』てのが、金看板《きんかんばん》なんだろぉ？」

言葉の端々に毒のある皮肉を込めて、リキは、うっそりと笑う。

「ミダスに流れてくるペット崩れは、男でも女でも、すぐに……誰にでも尻を突き出す淫乱《いんらん》だって噂だぜ」

そういうペット崩れが最後に堕ちてくる先が、ミノスのような場末の淫売宿《ビーン》なのだ——とも聞いた。

「まぁ、そういうお上品なモンしか食ったことがねーから、ガラの悪い雑種なんぞ手に負えない——とか言うんなら、別だけど?」

　わざとらしい挑発を吐いて、リキは、右足でブランケットを蹴り上げた。

「いいんだぜ。シッポ巻いて逃げ出しても……。どうせ、誰も見てねーしな」

　不遜というには過ぎるほどの傲慢さでもって。

　権力に媚びて卑屈な駄犬に成り下がるよりは、いっそ粗野な雑種《ノラネコ》であろうとする自尊心の高さには、覇気《はき》に勝る、一種独特の強烈なまでの艶気《いろけ》があった。何事にも動じないブロンディーが、一瞬、

(ほぉ……。これはまた、すこぶる活《い》きがいいな)

　ひそ——と、胸の内で漏らすほどに。

「つまり……。気にくわない相手に下手な借りを作るくらいなら、身体で払う。そう……言うんだな?」

「その方が、お互い後腐れがなくて、せいせいするだろう?」

　うそぶくようにニンマリと、リキは口角を吊り上げた。

「それがスラムの流儀なら、それも、よかろう。ならば——こちらも、それなりに付き合うまでのことだ」

　見え透いたリキの挑発に口調《こえ》を荒げるでなく、じっとりと眉をひそめるわけでもなく。イアソンは、しごく淡々と応じた。

「——忘れるなよ。好きなように……と誘ったのは、おまえだ」

最後の最後、その言葉を吐き出すときでさえも。

だから。

リキは。

完璧に読み違えてしまったのだ。言葉の裏にある深意を、それと気付かぬままに……。

閉塞したスラムの腐臭しか知らない、ただの世間知らずの子ども《ガキ》。それさえ、知らぬままに。

（フンッ。誰が、そんなコケ脅しに乗るかよッ！）

そう高を括《くく》って、リキはイアソンを睨み返す。

嘘か。

真実《まこと》か。

惑星アモイの『聖都』と言われる『タナグラ』のエリートが、いったいどういう暮らしをしているのか。スラムの住人であるリキには、その『噂』の真偽を確かめる術さえなかったが。

それでも。リキの知る限り。タナグラのエリートがペットとして『生身の人間』を飼うのは、自分の階級を周囲に誇示するためのアクセサリー代わりだというのが定説になっていた。自分で抱いて楽しむのではなく、ペット同士の爛《ただ》れた交尾《セックス》を見る方を好むのだと。

男も女も例外なく、ミダスの娼館に流れてくるペット崩れが総じて淫乱なのは、そのときに使用する催淫剤《さいいん》により慢性のドラッグ中毒になるからだ――とも聞いていた。

もちろん。

エリートのペットがどういう理由でミダスに堕ちてくるのか……。リキには、まるで想像もつかなかったし。ましてや、その末路がどうであれ、そんなことには興味も関心もなかったが。

どだい、生身の人間の生理機能や感情の複雑など、人工体のエリートなんぞにわかるはずがない。

リキは、そう思い込んでいた。

——いや。

イアソンが嘲笑まじりに口にした、

『押しつけがましい口止め料』

それを、自身の身体で払う気になった理由の何パーセント分かは、人工体への純粋なる好奇心であったかもしれない。

人間としての知性を極限まで開発された脳細胞に見合う、不老不死の魅惑のボディー。羨望と畏怖を込めて『美神』と呼ばれるブロンディーにも、そういう、セクサロイド並みの機能が備わっているのだろうか……と。

実のところ。

イアソンをミノスに連れ込んで。その成り行き上とはいえ、派手に、きっちり挑発までやってのけたものの、リキ自身、内心は半信半疑であった。

ある意味、美食家であろうタナグラのブロンディーが、スラムの雑種を抱けるのか——否か。

抱かれて、適当に善《よ》がってみせようなどと。そんなことは考えてもいない。

ここまで来てしまえば、どちらに転んでも、もう戻るに戻れない。

リキはすでに、真剣勝負の戦闘《バトル》モードだったのだ。

そんなリキの元へ、イアソンは、ゆったりと優雅な足取りで歩み寄ってきた。

「お上品なこったな。ストリップに自信がねーんなら、暗くしてやろうか？」

もはや、当て擦《こす》りに遠慮はいらない——とばかりに、リキは辛辣に言い放つ。

「まずは——見せてもらおうか？　タナグラのブロンディーが抱くだけの価値があるのかどうか……をな」

（クソッタレが。今更、何をもったい付けてやがんだよッ）

口裏で、おもうさま毒づきながら。それでも、促されるままにベッドを出て、リキは壁を背に惜しげもなく全裸を曝した。

いまだ成長期の、やや痩《や》せぎみだが贅肉《ぜいにく》のない、きれいに筋肉がのった、しなやかで張りのある裸形であった。

もっとも。それはあくまで、何の調教《しつけ》も条件付け《コントロール》もされていないスラムの野性児にしてはという注釈付きのことで。極上品揃《ぞろ》いのペットを見慣れたイアソンの審美眼に叶《かな》うかどうかは、また、別の問題ではあったが。

冷ややかな視線が、リキの素肌をなぞっていく。

それは。ねっとり粘りつくいやらしさもなければ、思わず股間《こかん》が疼いてしまうような熱っぽさもなかった。

だから――なのか。リキは、視姦《しかん》されているというよりはむしろ、刃の薄いナイフでソロリと脇腹を撫《な》で上げられたような気分になった。

冷ややかで。

――硬く。

滑らかで。

恐ろしく、よく――切れる。

それを思うと、毛穴のひとつひとつがヒリヒリと引き締まりそうだった。

だが。

「――で？　合格点は、もらえそうかい？」

リキの口調はあくまでも不遜であり。且つ、そのトーンが孕む音色《いろ》はどこまでも挑発的だった。

「いいプロポーションだ。『ディアス』の男娼館《ハーレム》でも充分いけそうだな。むろん、黙って立っていれば……の話だが」

タナグラのブロンディーが、なぜ、そんなことまで知っているのかは謎だったが。リキは、別に気にもならなかった。

「ハン。そりゃ、お互いさまだろ。あんただって、その陰険な口を閉じてりゃ『ルスカ』のクラブのナンバー・ワンも負けるさ。もっとも、あそこはお上品な《顔》より、ナニの《デカさ》と《硬さ》……それに、抜かずに何度イかせられるかの《テクニック》と《持久力》が勝負だって話だけどな」

「やけに詳しいじゃないか」

「そんなくだらない噂話でも拾ってこなけりゃ、退屈で、ヘドが出そうになるんだよ。スラムって、とこは……」

いつになく、リキは饒舌《じょうぜつ》であった。

はるか高みから落ちてくる、冷ややかな視線に反発するかのように。絶対的な余裕すら感じさせるイアソンのクール・ボイスに怯むことなく、リキは派手に見栄を切ってみせる。

けれども。

そんなリキの強気のパフォーマンスも、ときおり、不意に、ぎこちなく途切れることがあった。

なぜなら。ブロンディーが抱くに値するかどうかは、

『視《み》て、触れて、存分に検分するのが当然』

とでも言わんばかりに蠢《うごめ》くイアソンの指が、ほんの一瞬、リキの官能を爪弾いていくからだ。

先ほどまでは微塵も感じることのなかった、錯覚ではない――血の疼き。

リキは、かすかに狼狽《ろうばい》した。

感じてしまうことへの羞恥《しゅうち》ではない。

そんなウブではなかったし。今更、ブロンディー相手にカマトトぶるつもりもなければ、よけいな体裁を取り繕うつもりもなかった。

強いて言うのなら。

(こんなはずじゃないッ!)

そんな動揺だったかもしれない。

血が滾り上がるような愉悦の源がどこにあるのか、リキは知っている。

人並み――かどうかは知らないが。ペアリング・パートナーであるガイとのセックスライフに不満を覚えたことは一度もなかったし、ましてや、素直に声を出して快感を貪ることを良しと思いこそすれ、それを恥だと思ったこともなかった。

そんな快感の秘め処《どころ》を、イアソンは冷然と、指先ひとつでこともなげに暴いていく。

しかも。シルクのような肌触りのする手袋をはめたままで。

初めは、

(バカにしやがってッ。スラムの雑種はバイ菌扱いかよ)

憤怒も煮えたぎり状態だったが。イアソンの指が緩やかに肌を這い回るにしたがって、次第に毒づく余裕もなくなってしまった。

その、何とも言いがたい――焦り。

けれども。

(違う……)

どこが?

(そう…じゃ、ないッ)

——何が？

キリリと唇を噛んで吐き捨てるリキ自身、何を、どこを、どう否定すればいいのかわからずに。束の間——惑乱する。

そのとき。

乳首を指の腹でやんわりとまさぐられ、リキは、不意に息が詰まった。

もどかしいばかりにジワリと疼く……刺激。

手袋越しの指の腹でまさぐられて鼓動が跳ね、常とは違う感触に戸惑い、変なふうに煽られてツンと乳首が尖る。

——とたん。

イアソンのもう片方の手がゆったり背筋を流れ、引き締まった臀をひと撫でして、そのままスルリと内股を這い上がってきた。

（……ッ！）

その、何とも言いがたい感触に。一瞬。リキはビクリッ…と下肢を引き攣らせた。

そんな半ば無意識とも思えるリキの逃げを嘲笑うかのように、イアソンはいきなりリキを抱きすくめて壁に身体を押しつけると。強引に片膝《ひざ》を捩じ込んでリキの股間を割った。静から、動へ。

瞬間。

無機質めいた検分から、いきなり血が通ったようにスイッチが切り替わる。その、思いがけない——豹変《ひょうへん》。

リキは声を呑んで頬を強ばらせる。いきなり押しつけられた背後の壁の冷たさよりも、後ろ手に拘束されたまま身動きひとつできない驚愕をその目に刷いて。

しかし。

次の瞬間には、全身に別の硬直が走るのを感じた。

割り開かれた股間に密着したイアソンの膝頭が、剝き出しになった双の果実の熟れ具合を確かめるように、ゆったりと蠢く。中途半端に疼いたままの快感に、更なる刺激と自覚を促しながら。

煽られて、リキの腰がズルリと浮き上がる。まるで、一方的に嬲《なぶ》られているとしか思えない刺激を嫌って、何とかやり過ごそうと。

だが。

イアソンとの密着度を、ことさら意識させられるようにジワジワと追い立てられて気が付けば。リキはイアソンの片膝を跨《また》ぐように爪先立ったまま、ビッタリ、壁に縫いつけられてしまっていた。

後ろ手に拘束されていた腕すら、今は、頭上でひとつに括られてある。それも、たった五本の指で、身動きもできないほどにきっちりと。

不様だった。たとえようもなく。

思ってもみない己の不甲斐《ふがい》なさに、リキは、思わずきつく唇を噛む。

そんなリキを冷然と見下ろし、イアソンは恐ろしく優雅なしぐさで、リキの鼓動を搦《から》め取るように尖りきったままの左乳首を指先で摘み取った。

ひんやりとなめらかな布越しに触れられたそこが、なぜか、灼けつくように熱かった。

錯覚でも、幻覚でもない。

摘み取られた乳首にやんわりと爪を立てて、イアソンが……弄《いじ》る。

とたん。

リキの内股がヒクリと震えた。

ゆるゆる……と。

焦らすように。

嬲るように。

円を描くように尖りを押し潰されて。それだけで息苦しいほどに膨れ上がった鼓動が、左胸で淫靡《いんび》なリズムを刻む。

ささやかだが、心臓を鷲摑《わしづか》みにするような愛撫《あいぶ》は……止まらない。

そうして。放っておかれたままの右の乳首にも芯が通るほどに硬く凝《しこ》りきってしまうと、リキは思わず喉を鳴らした。

「……うッ……うう……」

両の乳首が。

頭の芯までが――ジンジンと疼く。

そうやって内へ内へと張り詰めていく快感の波は、やがてリキの喉を締めつけ、容赦なく腰骨をあぶり灼《や》いた。

（…は…あぁぁ…ッ……）

リキは、声にならない呻きを咬み殺す。たかが乳首を弄られたくらいで寸前まで昇り詰めてしまった自分が、信じられなかった。

抑えても、こらえきれない——悦楽の波。

間断なく突き上げる熱い奔流が、リキの背をしならせる。

先端の蜜口からトロトロと先走る愛液にぬめって硬く反り返った雄芯は、

（…くっ…うぅぅう）

その瞬間。

「…うぅっッ……」

咬み殺しきれなかった喘《あえ》ぎとともに、一気に爆《は》ぜ割れた。

目の裏がスパークするような愉悦のほとばしり。

なのに。

それは。

かつて、一度たりとも味わったことのない苦々しい屈辱の証でもあった。

いまだ拘束されたままの腕はヒクヒクと痙攣《けいれん》し、踏ん張りのきかない足ともども、だらしなく伸びきってしまっている。

けれども。

イアソンの片手ひとつで壁に縫い止められているリキには、そのままズルズルとへたり込むことすら許されない。その、灼けるような屈辱感。

リキは、ギリギリと奥歯を嚙み締めた。

荒い鼓動が。

張り詰めた気力が。

静かに……萎《な》えていく。

だが。口の中にあふれ返る苦汁だけはどうしようもなかった。

そんな亀裂の入ったリキのプライドを更に痛打するように、イアソンは、さらりと言ってのけた。

「あれくらいであっさり達《イ》ってしまうようでは、話にもならんな」

一筋の弁解も通らない事実を鼻先に突きつけられる——恥辱。

深々と項垂れたまま、頭の芯が煮えたぎる思いに、リキは返す言葉さえなかった。

沸騰した血の滾りがいっそ華々しく恥辱を灼きつくしてしまうと、きつく嚙み締めた唇も、今は蒼ざめて震えるのみであった。

「手ェ……離せよ」

——が。手首に食い込んだイアソンの指は解《ほど》けなかった。それどころか、

「どうした？　まさか、これしきのことで事を済ませるつもりではあるまいな？」

頭の上から落ちてくる囁きは、クールに現実を突き刺す。

「俺、は——およびじゃ、ねーんだろ？」

吐き捨てることさえ苦痛な言葉があることを、リキは初めて知った。

そんなリキの黒髪を鷲掴みにして顔を上向かせ、イアソンはその黒瞳をヒタと見据えたまま、

「傍迷惑な口止め料を押しつけたのは、おまえだ。ならば、それに見合うだけのことはしてもらおうか？」

当然の権利を主張するかのように、容赦なく告げる。

「何……しろってんだよ。ハーレムばりのリップサービスでもやれってか？　スラムの雑種にゃ、んなテクなんかねーよ」

「そんなものはなくても、充分、感度はよさそうだ。久しぶりに、おもうさま啼《な》かせてみるのも悪くはない」

「ハ…ンッ。そこまで自信たっぷりだと、嫌味だぜ」

今更、何の当てつけにもならないと知りつつ、それでも、片意地を張って毒口を吐かずにはいられないのは。淡々と語るイアソンのそれが、ただの冗談でも大言壮語でもないのだと、身をもって知ってしまったからだ。

いや。有言実行もここまで情け容赦がないと、嫌味を通り越して寒気がする。

そのとき。

すでに。

リキは。鼻先であしらうようにイアソンを挑発したことを、たっぷりと後悔しはじめていた。

──反面。

「スラムの雑種《クズ》をタナグラのペット並みに扱ってやろうというのだ。それでは……不足か？」

そんな傲慢尊大な口調が嫌味なく、実にしっくりとサマになる男を、リキは、いまだかつて見たことがなかった。

もっとも。

それは、また別の意味で。リキの激情《コンプレックス》をバリバリと掻き毟らずにはおかなかったが。

「──だったら、服くらい、脱いだらどうなんだよッ」

全裸の上に、不様な射精まで強制されたリキに引き比べ。イアソンは、いまだ手袋さえ取ってはいないのだ。

すると。イアソンは片頬でシニカルに笑った。

「粗野で頭の悪い雑種《クズ》を躾《しつけ》るのに、どうして、わざわざ服を脱ぐ必要がある？」

とどめに、おもうさま派手に横っ面を撲《は》られたような気がして、リキはグッ…と息を呑んだ。

「間違えるなよ、雑種。おまえは、傍迷惑に押しつけられた口止め料だ。だったら、おまえは、わたしが命ずるままに、ただ啼いてみせればいい。それだけだ。それ以上である必要はない」

ほんの目と鼻の先に、玲瓏《れいろう》なイアソンの美貌がある。その魔的とも思える《美》の化身を、リキは、瞬きもせず双の黒瞳で見返した。

（…の、ヤロー……）

しかし。

頭の芯が憤怒で灼け爛れ、そのプライドが根こそぎ膿んで腐れ落ちようとも。冷ややかなイアソンの視線をほんのわずかも歪めることすらできないのだと、リキは、ようやく気付いた。忌《い》ま忌ましいほどの自覚とともに。

端から、役者《格》が違うのだ。

そうして、今更のように知るのだ。ホット・クラックの覇者――などと意気がってはいても、自分が、ただの『井の中の蛙《かわず》』でしかないことを。

世の中には確かに、想像もつかない『人種』がいる――のだと。それを、骨の髄まで思い知らされたような気がした。

ただ。どっぷりと後悔はしていても、自分から挑発した意地がある。このまま、なし崩しにズルズル引き摺られてしまうのだけは、どうにも我慢がならなかった。

そんな筋金入りの負けん気の強さが、イアソンの気まぐれを更に硬化させてしまうのだ――とは、リキは思ってもみない。

あるいは。イアソン自身、久々に手応えのあるオモチャを手に入れて、らしくもない興味を引かれてしまったのか……。

どちらにしろ。

そのとき、すでに。イアソンは半ば本気で、リキのプライドを根こそぎ奪い取ってやるつもりだったのだろう。

リキが、それと気付かないうちにイアソンという強烈な『幻惑』に捉《と》われてしまったように。イアソンもまた、そうと意識しないままに選択をしてしまったのだ。リキという名の『パンドラの匣《はこ》』に魅せられて。

イアソンはリキのきつい視線を冷たく見据えたまま、淡い陰りを帯びた股間へと指を滑らせた。

先ほどのように焦らすこともなく。しごくあっさりと、何のためらいもなくリキの萎えたモノにふれ、指先で——掌《てのひら》で、双珠の手触りを確かめる。それは愛撫というよりも、何かを検分するようなそっけなさにも似て、リキを不快にさせた。

——と。

まるで、そんなリキの心情を見透かすかのようにイアソンが笑った。口の端だけ、ひっそりと。

卑猥《ひわい》な甘さなど微塵もない。それは、思わず身震いのくるような美々《びび》とした冷笑であった。

その瞬間《とき》。

初めて。

リキは。

タナグラのブロンディーが、悪魔よりも数段タチの悪い『暴君』であることを知ったのだった。

静まり返った部屋の中。再び、リキの荒い吐息が揺れた。

せつなげな甘い呻きに大気が震え、ねっとりと淀む。素直に快感を貪るには昏《くら》い劣情が、其《そ》処此処《ここ》でとぐろを巻くように。

それが、どのくらい続いたのか。

突然。イアソンの腕の中で、リキが怒号に近い声を張り上げた。

「い…いいか、げんに……して、く…れよッ！」

吐息が乱れて、言葉がおかしな具合に弾む。

口調を荒げてもなお唇が——声音までもが不様に震えてしまうのは、小刻みな痺れに股間が甘く疼くからだった。

——が。

「お…れは、オモチャ……じゃ、ね…ッ…！」

その言葉を吐き出した。

——とたん。

リキは。喉元で息が詰まるような錯覚に唇を、喉を——引き攣らせた。

「ぐ…ッ…うぅぅ………」

思わずしゃがみ込んで呻きたくなるような、強烈な痺れだった。

こんな、頭の芯が灼けるような快楽を、リキは——知らない。

ガイとのセックスが、しごくノーマルな快感だとすれば。イアソンによって一方的に与えられるだけの刺激は、剝き出しの神経を容赦なく掻き毟られるような痛みがあった。それも、恐ろしく淫猥な。

リキはイアソンの腕にすがりつき、きつく爪を立てる。

しかし。快感の糸はピンと張り詰めるだけで、決して切れない。

なぜなら。射精への欲求は、イアソンの指でしっかり塞き止められているからだ。屹立《きつりつ》したリキのものは物欲しげに先走りの愛液を垂れ流すだけで、あれからまだ一度も解放させてもらえなかった。

後肛《こうこう》に埋められた指ひとつで、リキは翻弄される。

いつもだったら、ガイの指と舌とで丹念にほぐされる秘花の蕾《つぼみ》も。イアソン相手では、先走りの愛液《ぬめり》だけで容赦なく暴かれてしまった。

そのヒリつくような痛みも、嫌悪も、強引に呑み込まされた指の淫蕩《いんとう》さに誤魔化されて消え失せた。

「おまえの快楽の芽は――ここか？」

男の性欲を象徴するのが屹立したペニスであるなら、その愉悦の源《ツボ》は後肛に秘された陰核にある。それをおもうさま指で嬲られるのは快感ではなく、もはや男の性《さが》を逆手にとっての拷問《ごうもん》に等しかった。

イアソンは、まるで……。リキが、喉を……顔を引き攣らせて全身を喘がせる様を楽しんでいるかのようだった。

『おもうさま啼かせてみるのも悪くはない』

リキには、それが、単なる優越感から出た言葉ではないように思えた。

人工体であるエリートの、生身の人間に対する嫌悪ではないか？

そう感じてしまうほど巧妙に、イアソンはリキを容赦なく締め上げているのだった。

達《イ》きそうで……。

——達《イ》けない。

しかも。刺激は絶えず、股間でくすぶり続けている。足が、背骨が、ヒクヒクと痙攣を起こすほどに。

男の性感を嫌というほど弄られて、嬲られ。その高みから容赦なく突き落とされたとき、リキは半ば涙声になっていた。

「…も…ぉ……イかせ…て、くれ…よぉ……。中途……ハンパ……焦らす…の、やっ…めて……く、れ……」

おもうさま頬を撲《なぐ》られるのなら、歯を食いしばって耐えてみせる。

力まかせに最奥まで容赦なく貫かれたら、毒のある捨て台詞《ぜりふ》のひとつも吐けるだろう。

だが。身体の芯がジリジリ焦げるような生殺しは、神経が先に挫《くじ》ける。

射精したいという欲求は、何をさておいても最優先されなければならない『牡』の本能であった。

リキは深く項垂れたまま、イアソンの腕に指を食い込ませた。

『達《イ》かせて欲しいッ！』

――と。

震える口で。

引き攣る指先で。

悶《もだ》える身体で。

恥も外聞もなく、哀願した。

何度も……。

すると。嬲るだけ嬲って、それで気が済んだのか。

それとも。意のままになる『オモチャ』には興味も失せたのか……。

その直後。イアソンは実にあっさりと、リキの縛《いまし》めを解いた。

ただひたすら待ち望み。

意地もプライドも、かなぐり捨て。

乞《こ》うて許された果ての――吐精。

けれども。

もはや、ヒリついて引き攣った唇からは悦《よろこ》びの喘ぎどころか、安堵《あんど》のため息すら洩れない。

身体の奥で。

頭の芯で。

狂乱したモノが一掃された脱力感で、リキは。イアソンの手が抜けたとたん、精魂尽き果てたようにその場にズルズルとへたり込んだ。

そんなリキを高みから見下ろしたまま、イアソンは、ふと何を思ったのか……。べったりと精液に塗《まみ》れた手袋をゴミ箱に投げ捨てると、唇の端をわずかに吊り上げ、胸のポケットからコインを取り出してリキの足下に投げて寄越した。

「口止め料の釣りだ。これで、貸し借りなし……というわけだ」

リキは胸を大きく喘がせたまま、痺れのきた舌で何度も乾いた唇をなぞった。

両の足はビクビクと引き攣れたように小刻みに震え。剝き出しの股間を隠そうとする気力もなければ、減らず口を叩く余裕も——ない。

そのまま、イアソンが振り向きもせずに出ていったときですら、腑抜《ふぬ》けたように身じろぎもしなかった。

五分……。

十分……。

白茶けた時間だけが、虚《むな》しく過ぎていく。

そのときになって、ようやく、リキはふらつく腰を上げかけて。ふと、足下のコインに目をやった。

何かよくはわからないが、ミダス・コインとは違う幾何学模様を模したような紋章が刻印された——ゴールド・コイン。

刹那。

リキは、ギリギリと奥歯を軋らせてそれを手に取ると、

「へっ、ざまぁねーよな」

ぎくしゃくと立ち上がった。

「タナグラの……ブロンディー、か」

その言葉を小さく咬み潰すと、握り締めたコインに爪を立てんばかりに拳を震わせた。

「――クソッタレがッ」

タナグラの『ブロンディー』と。

スラムの『雑種』……。

決して交わることのない、異質な《点》と《線》。

そこには埋めがたい視差があるのだと、今更のようにリキは知る。

互いに名前を交わさないままの、不自然な重苦しいしこりが残る――それが、イアソンとリキの真の意味での『始まり』でもあった。

＊＊＊＊＊9

恥辱《ちじょく》の夜から、半月が過ぎた。

――が。

リキの身体の奥底には、いまだ、苦々しい屈辱感がくすぶり続けていた。癒《いや》すに癒せない激情が行き場を失って荒れ狂い、その灼《や》けつくような痛みごと、べったりと貼《は》りついてしまったかのように。

当然のことだが。あの日以来、リキの足はミダスには向かない。

それどころか、クルージングの『ク』の字も口にしない。逆に、むっつりと押し黙ったままの眉間《みけん》の縦皺《たてじわ》は日ごとに深くなるばかりであった。

忌《い》まわしい出来事のすべてを封印してしまえたら、どんなに楽だろう。

瞼《まぶた》を閉じれば、そこには、あの男の冷たい美貌《びぼう》が刻印のようにくっきりと焼きついている。

『狙《ねら》った的が外れたときには、こうやって、男を咥《くわ》え込んで稼ぐのか？』

傲慢《ごうまん》と言うには過ぎるほどの威圧感を孕《はら》んだあの独特なクール・ボイスは、今でも、鼓膜《みみ》にこびりついたままだ。

（――クソぉ）

ただ唸《うな》るしかない惨《みじ》めさが――痛い。

腹立たしいのは、男同士のセックス・ライフが常識のスラムの風習を逆手にとって嘲笑《ちょうしょう》されたからではない。

たとえ、そこが場末の連れ込み宿でも、気品に満ちた威厳は少しも損なわれず。それどころか、圧倒的な余裕さえ見せつけるタナグラのブロンディーに、自分が、いつも男をタラし込んで小銭を稼いでいるような男娼《だんしょう》に間違えられたことだ。

――屈辱だった。

確かに。男を強引に連れ込んで、その上きっちり挑発までやってのけたのは自分だったが。

そんな意地もプライドも、男の目には、ただのさもしい根性にしか映らなかったのだと思うと。喉《のど》が――灼けた。

しかも。

『間違えるなよ、雑種。おまえは、傍《はた》迷惑に押しつけられた口止め料だ。だったら、おまえは、わたしが命ずるままに、ただ啼《な》いてみせればいい。それだけだ。それ以上である必要はない』

暴言以外の何物でもない酷薄な台詞《ことば》は、脳味噌《のうみそ》にぐっさりと突き刺さったままで。そこで膿《う》んだ毒は、ときおり、思い出したようにジクジクと疼《うず》いてリキのプライドを掻《か》き毟《むし》った。

キリキリと、奥歯が軋《きし》る。

ズキズキと、こめかみが引き攣《つ》る。

（こういう胸クソ悪さって、ガーディアン以来……だぜ）

リキは、知っている。そういう身体の内から熱をもって疼きしぶるモノは、容易には納まらないことを。

子どもばかりの、ある意味、恐ろしく抑圧された環境の中では。見たくないモノは視界から弾《はじ》き出して、聞きたくない言葉は耳を塞《ふさ》いでさえいればよかった。

『ガーディアン』では、唯一、それが『未熟な子ども』に許された特権でもあった。

だが。

今は、違う。

未熟であろうが、なかろうが。どんな言い訳も、泣き言も通らない。

スラムという弱肉強食の世界では、その言動はすべて自分に跳ね返ってくる。

そんなことは、わかっていたはずなのに。あったことを無かったことにはできない現実が
——重い。

不様だった。

忌まわしい記憶のすべてを日常の彼方《かなた》に葬り去ってしまうには、まだ、時間が足りない。

そうやって無理やり納得させるしかない自分が、たとえようもなく惨めだった。

どのくらいの時間を注ぎ込めばザックリ割れた気持ちの整理が付くのか。それすらもわからない。

もちろん。せんだっての遭遇《こと》は、偶然というよりはむしろ奇跡に近い確率での椿事《ちんじ》であって。

この先、名前も知らないあの男に再会するどころか、タナグラのブロンディーを間近で拝める機会《チャンス》など二度とないだろう——とは思ってはいても。それで、きれいさっぱり忘れてしまえるほど能天気にできてもいなかった。

当然のことのように『スラムのクズ』と呼ばれ、感情のこもらない冷ややかな眼で弄《もてあそ》ばれて蔑《さげす》まれることの——屈辱。

滅多打ちにされてヒビの入った自尊心《プライド》は、癒えない。

それどころか。手酷《てひど》く嬲《なぶ》られただけの恥辱《記憶》が鮮明であればあるほど、それは馴染《なじ》んだガイとのセックスの中ですら執拗《しつよう》に、リキを嘲笑《あざわら》うようにまとわりついて離れなかった。

『あれくらいであっさり達《イ》ってしまうようでは、話にもならんな』

ウルサイ。

『威勢がいいのは、どうやら口だけらしいな』

——ヤメロッ。

『おまえの快楽の芽は——ここか？』

——消エ失セロッ！

『——まだだ』

頭の芯《しん》に絡みつく声が、嘲《あざけ》る。

ねっとりと。

執拗に。

胸糞《むなくそ》が悪くなるほどの微熱を孕んで……。

クソ。

——クソッ。

——クッソォォォォォッ。

惨めに。

——不様に。

それでも、奥歯を軋らせて吠《ほ》えるしかない自分がたまらなく嫌だった。

(こんな俺は、俺じゃないッ！)

噛《か》み締める唇が、引き攣る。

覚めない夢などあるはずがない。

そうは思っても。まるで、タチの悪いドラッグにはまり込んでバッド・トリップしているような気分だった。

そんなリキの苛立《いらだ》ちに、ガイが気付かないはずがなかった。

「どうしたんだ、リキ」

だらりと四肢を弛緩《しかん》させたまま、まだ息が整わないリキの耳元で、ガイが囁《ささや》く。

このところの、いつもとは違うノリの悪さにさすがのガイも焦《じ》れた——のだろう。けれども、

「何か……あったのか？」

その口調はあくまで穏やかで。額に落ちかかる髪を弄びながらゆったりとすき上げる手の温《ぬく》

もりは、相変わらずの心地よさだった。

自分の居場所は、確かに『ここ』に在る。

それを感じさせてくれるには充分すぎるほどなのに、

(……なぜ?)

どうしてッ。

あんな極悪非道な男のことばかりに囚《とら》われているのだろう、と。自分で自分がわからなくなる。

だが。

「別に——なんもねーよ」

ボソリと漏《も》らした端から、苦汁にも似たものがあふれかえる。

「ホントに?」

問いかけるガイも。

「あぁ……」

どこか投げやりに応《こた》えるリキも、本当はわかっている。

何が聞きたいのかも。

何を心配しているのかも。

だから、今は何も言いたくない気持ちも。

ただ……。言葉にはしないが、互いを思いやって確かめる身体の温もりには一筋の偽りもなかっただけで。

ガイは。リキの首筋から耳朶《じだ》までをたっぷりと舐《ねぶ》って、密着した下肢を押しつけるように絡めた。

「なら——やろうぜ」

熱がこもったままの若い身体は正直だ。

「まだ、イケるだろ？　俺……ぜんぜん足りねーよ」

持て余すほどの情欲は、言葉にすることで簡単に火がつく。

相手がリキとなれば、何度貪《むさぼ》りついても、まだ——足りない。そんな餓《かつ》えた劣情を、ガイは意識する。

それは。『ガーディアン』にいた頃から、少しも変わらない。

こうしてリキを自分のものにできた幸運の分だけ、独占欲は更に強くなる。

リキは、自分がガイを身勝手に引き摺《ず》り回していると思っているようだが。本当はそうでないことを、ガイはきちんと理解していた。

理由もなく惰性でズルズル引き摺られるほど、自分はお人好しではない。

周囲の人間が思っているほど、忍耐強いわけでもない。

リキ……だから。

相手が、リキだから。ガイは、どこまでも寛容になれる自分を知っていた。

暗闇《くらやみ》の中。ベッドの中で膝《ひざ》を抱えて震えていた小さな身体を、ガイは今でもよく覚えている。

眼に映る何もかもが敵だとでも言いたげなきつい眼光を放つ黒瞳が閉じただけで、まるで別人のように幼く見えた。

あの夜。差し伸べた手をきつく握り返して必死にしがみついてきたリキは、もう、どこにもいない。

それでも。

自分の庇護《ひご》など必要としなくなった今でも。ガイは、絶対に自分がリキを守ってやるのだと心に誓ったことは忘れていない。

忘れられるはずがなかった。

強烈な自我とプライドで硬く覆われたリキの素顔を知っているのは自分だけなのだという自負が、ガイにはある。

その一方で、明確に自覚する。リキに対する飢渇感が深くなっていくことも。

(もっと……)

まだ、足りないッ。

(だから。もっと、俺をほしがってッ!)

自分でも持て余すほどの執着心に溺《おぼ》れていく自分が見える。

『ガーディアン』にいた頃とは雲泥の欲の深さを、ガイは、嫌でも自覚せずにはいられないのだった。

無言のままガイの首にゆったりと腕を絡めて、リキは自ら誘うようにキスをする。

伸び上がるように口角を変えてキスを貪りながら身体を入れ替え、舌を絡ませて、きつく吸う。ガイの疑念と不安を根こそぎ奪い取るかのように。

いや。身体の芯にまとわりついて離れない男の残滓《ざんし》を、今日こそは、きれいさっぱりと消し去ってしまいたくて……。


更に、半月後。

相変わらず身体の内にこもる熱を発散できずに、ただ苛々《いらいら》と時間を食い潰《つぶ》していたリキは。小腹を満たすために一人立ち寄ったジャンクフード店で、

「よぉ、リキ。独りか？　珍しいな」

自分たちがミダスで掏摸《すりと》盗ったカードを裏で一手に捌《さば》いて換金する故買屋《レイバー》のザックに声をかけられた。

「近頃は、トントお見限りだな。どうした？」

ザックにしてみれば。それが単なる挨拶《あいさつ》代わりで、別段、何の悪気も含みもないのだろうが。

リキは、しんなりと眉《まゆ》をひそめた。

そうなってしまうと。近くにいた連中はヒクリとビビッて、そそくさと目を逸《そ》らしてしまうが。ザックは、別に気にも留めなかった。

それどころか。リキのとなりのスツールにどっかりと腰を据《す》えて、遠慮もなくグイッ…と顔

を寄せると、

「なぁ、リキ。おまえ……運び屋《キャブ》をやってみないか？」

いきなり、そんなふうに切り出した。

「――運び屋？」

思わず眼を眇《すが》めて、リキは、みっちりと筋肉質の長身を窮屈そうに折り曲げているザックを見やった。

「なんで？　あんたはレイバーだろ？　もしかして、その片手間に、口入れ屋《メイシー》もやってんのか？」

ギトギトと脂ののった合成肉をフィンと呼ばれるクレープ状の薄いパンに巻いたそれを頬張《ほおば》りながら、リキは、何の気負いもなくタメ口を叩《たた》く。

そんな不遜《ふそん》とも思えるリキの口調に、ザックの背後でそれとなく周囲を威嚇《いかく》している男たちは、あからさまにムッ…と眉を寄せたが。リキも、当のザックも、まるで気にする素振りも見せなかった。

褐色の肌。先鋭の耳を際立たせるように白髪をいっそ思い切りよく刈り上げたザックは、もちろん、スラムの住人ではない。

ミダスを訪れる観光客の中には、何らかの理由でそのまま不法に居着いてしまう者がいる。

申告した滞在期間を過ぎても帰る意志のない――あるいは、帰るに帰れない不法滞在者は『流民《シンカー》』と呼ばれる嫌われ者だったが。ザックにはそういった連中が引き摺《すさ》る荒みも、昏《くら》さも、切羽詰まった悲壮感もない。

そんな素性の知れない異邦人が、なぜ、いつからスラムで『故買屋』の看板を掲げているのかは誰も知らなかったが。たとえ相手が、

『ミダスのおこぼれを拾い食いする寄生虫』

呼ばわりをされるスラムの雑種相手であっても。臆するでも、見下すでもなく、誰をも平等のビジネスライクに徹する商売人のザックは。その異相が看板代わりになるほど、ある意味、スラムでは彼を知らぬ者はないほどの有名人でもあった。

「いや、そういうわけじゃないんだが……」

毒々しい色の炭酸酒をグイと一気にあおって、

「実は、ちょっと、知り合いに頼まれてな」

ザックはこれ見よがしに声を潜める。

「今まで使ってた奴がドジったらしくてな。しばらく使いモンにならない。それで、替わりを探してんだよ」

「ふーん……。それって、ヤバイのか?」

「仕事の内容までは知らない。けど、まぁ、ガキの使い走りを探してるわけじゃないだろうから、それなりのリスクはあって当然かもな。ただ、その分、金にはなる」

「スラムの雑種でもかまわないってとこが、かえって胡散臭《うさんくさ》すぎる気もするけどな」

ミダスの公式マップには、ケレスの『ケ』の字も載ってはいないが。スラムの存在は公然の

秘密のようなもので。ミダスを訪れる観光客の頭の中には、スラムの現状を知らないまでも、

『近寄ってはならないレッド・ゾーン』

――だの。

『スラムの住人＝無教養で凶暴なクズ』

などと、きっちり刷り込みが入っている。

それが、ケレス住人に対する外部世界の認識《現実》なのだ。

ミダスは、ケレスの人権を認めてはいない。

ケレス独立時には蜜月《みつげつ》にあったらしい連邦との関係も、今は皆無だ。

連邦の圧力組織と言われる各種の人権擁護団体も、ミダスの背後に控えているのが星界に名だたる電脳都市《メタリック・シティー》『タナグラ』であることに恐れをなして、ケレスの問題には触れたがらない。

いくら人材不足でも、そんな問題だらけのスラムの雑種を好んで使いたがる物好きはいない。

だから、スラムはいつまでたっても閉塞感《へいそく》に喘《あえ》いでいるのだ。

だが。そんな世間の常識を、ザックは、

「ちゃんと使いモンになる奴なら、どこの何様だろうがいっこうにかまわない――って、な」

軽く一蹴《いっしゅう》する。更には、

「だからって、誰でもいいってわけじゃないぜ。人選を任されている以上、俺の目利きも試されているようなものだからな」

言外にさりげなく、

『だから、俺はおまえを選んだんだよ』

――というニュアンスを込めて、リキの自尊心をくすぐる。

それが鼻持ちならないいやらしさに聞こえないのは、ひとえに、ザックの人柄によるのかもしれない。

あるいは。

「どうだ、リキ。会うだけても、会ってみないか？　それで、もしダメだと思ったら、その場で断ればいいだけのことなんだから」

リキが相手でなければ、ザックの誘い方ももっと露骨で執拗だったかもしれない。

その点、雑種相手にスラムで顔を売ってきたザックの人間《ひと》を視《み》る目は確かなものがあるのだろう。少なくともザックは、好意の押し売りをしないでいるのだから。

(運び屋かぁ……)

確かに、オイシイ話ではある。

もっとも。そばにガイがいたら、あまりに美味《おい》しすぎる話の裏を深読みをしすぎて、すかさずリキの腕を引いたかもしれない。

それでも。いつになくリキが興味を引かれたのは、スラムに充満する『目には見えない閉塞感』以上に、いいかげん煮詰まっていたからだ。

「――で？　それって、いつ、どこに行きゃあいいんだ？」

ミダス標準時、一五：一〇。

エリア－2『FLARE《フレア》』。

黄昏時《たそがれどき》にはまだ間のある時間帯といえども、高級ブティックやレストランが立ち並ぶビル群には人の波が途切れることはない。

車道には、観光用にディスプレイされた自動制御のカプセルカーがゆったりと行き交い。ゴミひとつ落ちていない歩道は空の蒼《あお》さに映えて、どこまでもカラフルで眩《まぶ》しい。

あの日以来、夜のクルージングはプッツリ跡絶えてしまったが。それでなくても、不夜城としてのミダス以外、めったに街中に足を踏み入れることのないリキにとって、太陽光線に照らし出されたダブル・リングの外輪の景観は、どこまでも物珍しいと言うよりはむしろ毒気の抜けた猥雑《わいざつ》さだけが目に付いてしょうがなかった。

(所詮《しょせん》、ウソ臭いだけのまやかしの世界だしな)

ケレスが閉塞感で窒息しそうなゴミ溜《た》めなら、夜に驕《おご》れる歓楽街《ミダス》は欺瞞《ぎまん》と欲望が渦巻く底無し沼だ。腐れ堕《お》ちていく自由をただ持て余すだけの雑種と、視えない鎖に繋《つな》がれてガラス張りの檻《おり》の中で暮らすミダス市民のどちらがマシかと聞かれても、永遠に答えは出ないだろう。

『変えられない未来など、ない』

そんな、はるか昔のケレス独立時のスローガンなど、すでに人々の記憶からも忘れられて久しいが。それでもリキは、思いがけず転げ落ちてきたチャンスをつかみ取りたいと、今は真摯《しんし》に思う。

現実がどれほど重く肩に伸しかかってきても、何かの……ほんのわずかな『きっかけ』さえあれば人は変われる。

リキは、それを知っている。何もかもが欺瞞だらけの『ガーディアン』というガラス細工の楽園《おり》の中で窒息しそうだったリキが、ガイという掛け替えのない存在に巡り会えたように。

『変エラレナイ未来ナドナイ』

たとえ、それがウソ臭いだけのハッタリでも、自分を――少なくとも自分の生き方を変えることはできる。ほんの少しの勇気と、たったひとつのきっかけさえあれば……。

リキは知っている。

自分が変わらなければ、自分を取り巻く世界は何ひとつ変わらないし。何も始まりもしないことを。

自分の人生《未来》は自分の手で切り開く。

今ならば。それが、ただの夢幻《ゆめまぼろし》ではないような気がして。

ひたすらファッショナブルに磨き上げられたモガ街の外れで、リキはビルの谷間の壁に背もたれたまま、手元のカードにふと目を落とした。

【WED　15：30　MOGA－E－『R・B』805《#07291》】

ザックに手渡されたカードには、それしか印字がされていない。

あの日。

そのカードをリキに手渡したら、それで自分の出番は済んだとばかりにザックは、

「まっ、頑張れよ」

意味ありげにニヤリと笑って席を立った。

その後、じっくりと手の中のカードを見やって、リキは小さく舌打ちした。

日時は、まぁ、よしとして。『MOGA』とやらが『街』なのか。『通り』なのか。それとも――『ビル』なのか。

そして。それは、どこにあるのか。

まるで、見当もつかなかった。

おかげで、リキは。半日潰してPCで各エリアを検索し、ミダスのマップと格闘する羽目になった。

(なんで、俺が、こんなことをしなくちゃならねーんだよ)

しち面倒臭い手間をかけるのがバカバカしくて、腹が立つ。

このままカードを破り捨てて、ゴミ箱にでも投げてやろうか。

チラリと、それが頭をよぎった。

だが。ザックの顔を思い浮かべて、さんざん毒づきながらも端末機のキーを叩き続けたのは、半ばリキの意地だった。

ザックの依頼主が『どこ』の『何様』なのかは知らないが。しごくありふれた白地に黒く印字されたそのカードには、肉眼では見えない字で、

【どこの誰であろうが出自《しゅつじ》は問わない。だが、使い物にならない奴はいらない】

そんな但し書きが添付されてあるような気がして。

スラムの雑種という、頭の芯までこびりついたコンプレックスなのか。

それとも、自意識過剰の僻《ひが》み根性が見せる幻覚——なのか。

どちらにしろ、

（クソったれがッ……）

いつになく、リキのやる気を必要以上に掻き毟ってくれたのは紛れもない真実で。普段の日常生活で真剣に端末機《PC》と睨《にら》み合うことなどめったになかった分、必要以上に時間はかかったが。

それは、それで、

（みてやがれよ。絶対、見つけ出してやる）

わけのわからないパズルを解いていくような面白味もあった。

ミダスの市民権を剝奪《はくだつ》されて以来。貧困と暴力に喘ぐ『ゴミ溜め』呼ばわりをされるケレスの住人は、人間としての品格も知性もない『最下層の野蛮人』だと烙印《らくいん》を押されているのも同然だが。子どもには均《ひと》しく教育を受ける権利を与えられている『ガーディアン』では、それなりに、一応誰でもPCの基本操作はできるように叩き込まれている。

ただ。外界とは隔離された『楽園』から強制的に自立させられた後の居住区であるスラムが、その能力と意欲をフルに活《い》かすことができる環境にはなかっただけのことで。

当然。ごく一部のマニアックな連中以外、宝の持ち腐れ状態の男たちは、それこそ、掃いて捨てるほどいる。

ちなみに。身分制度《ゼイン》に縛られたミダスでは就学率にも著しく格差があり、自分たちの生活圏《カテゴリー》で生きていくには困らない程度の知識さえあればそれでよい——という徹底した階級意識があるため、中には、まったく識字能力のない者もあまたいる。

それでも。

彼らは。

ミダス市民のＩＤを持っている自分たちは、スラムの雑種よりも人間としての価値ははるかに上なのだと信じているのだ。

たとえ、今置かれている現状が決して満足できるものではなくても。自分たちよりも格下な者が確実に存在するという、意識下に刷り込まれた歪《ゆが》んだ優越感。それこそが、ミダスを支配する醜悪な現実なのだった。

結局。今回のことで、知識《頭》も身体も使わないでいると錆《さび》ついていくばかりなのだと、そんな当たり前のことを今更のように実感したリキだった。

そして、今。

リキは、モガ街にいる。

もっとも。それが『当たり』であるという確証はどこにもなかったが。

【モガ街　東《EAST》通り１５－９－３２『RED BARON《レッドバロン》』】

ミダスの公式観光マップにも載っていないそれは、一見して小綺麗《こぎれい》なビジネス・ホテルにしか見えない。

が——その実体は、老若男女を問わず、いかなる客にもゴージャスな夢（…どんな夢かは知らないが）を売る『エスコート・クラブ』であるらしい。

そのクラブがどんなに怪しく胡散臭かろうが、リキは、今更驚いたりはしなかった。ただ、裏サイトの隅々まで検索して『R・B』の所在地までを見つけだすのには、それなりの苦労をしただけのことで。

それが報われるかどうかは、また、別の話だ。

公式マップに記載されていない穴場のスポットは、ほかにいくらでもある。

それどころか。マニアックな固定ファンによって支えられているディープな会員制のプレイゾーンでは、それなりに入会審査も厳しい——らしい。

人間の『欲』にはキリがないということなのだろう。

さすがにこの時間帯では、まだクラブの営業には早すぎるのか。

それとも。正面玄関とは別口の専用通路《シークレット・ドア》でもあるのか。

先ほどから、人の出入りはまったくない。

約束の時間の五分前になって、リキは、ゆったりとした足取りで歩き出す。

もしかしたら、出入り口でのセキュリティーチェックに引っかかるかもしれない——というリキの杞憂《きゆう》は、だが、あっさりと肩透かしに終わった。

何の苦労もなくノー・チェックのままビル内に入ることができた瞬間、リキは半ば無意識にホッ…と息を吐き。その勢いで、一直線にエレベーターに乗り込む。

ルームナンバー『805』。

そのドアの前まで来ると。リキの顔も、さすがにピリリと引き締まった。

ドア・ロックに暗証ナンバーであろう『#07291』を打ち込んで、しばし待つ。

すると。解錠を知らせる緑のランプが点灯した。

リキは、思わずコクリと生唾《なまつば》を呑《の》む。

それは、半日かけて端末機と格闘した成果の証《あかし》であると同時に、この先、よくも悪くも己の人生の転機になるかもしれない瞬間なのだと思うと。らしくもなく、ドアノブを回す指が微《かす》かに震えた。

華美を排した執務室を思わせるその部屋の中で、デスクチェアーに深々と背もたれてリキを待っていたのは、一見して年齢不詳の、どこかしら中性的《ユニセックス》な雰囲気を漂わせる美貌の男だった。左の頬の無惨《むざん》な傷痕《きずあと》さえなければ、ミダスの最高級クラブでも充分通用するに違いないと思わせるほどの。

だが。

やはり。タダ者ではないのだろう。ひどく冷めた銀色に近い灰色《アッシュ・グレイ》の双眸《め》でリキを一瞥《いちべつ》すると、

「時間通りだな。けっこう。まずは合格だ」

甘さの欠片《かけら》もない口調《テノール》でそう言った。

そして。

リキは、今更のように思い知るのだった。ザックに手渡されたカードの指定通りにこの部屋のドアを開けることが、『運び屋』としての第一関門をクリアする条件であったことを。

男はリキにソファーに座ることを促すわけでもなく、相変わらずのポーカーフェイスでリキを凝視する。

「名前は？」

「――リキ」

「年齢《とし》は？」

「――じきに、十六」

正直に口にしてから、一瞬、

（やっぱ、もっと年上にサバをよんだほうがよかったか？）

とも、思ったが。男は、年齢でリキを選別する気はないようだった。

「仕事の内容は？　聞いているか？」

「聞いてない。ザックは、この話を受けるかどうかは、とりあえずあんたと会ってから決めろと言った」

だから。少なくとも、今はまだ五分《フィフティー》・五分《フィフティー》の対等なのだとリキは思った。

――いや。

そうではない。

内心、リキは、喉から手が出るほどにこの仕事が欲しかったが。どこかしら『あの男』に似た冷然とした雰囲気を醸し出す男に、必要以上に自分がガッついているのだと思われるのが嫌だった。

するると、男は。まるでリキの心中を見透かしたように、

「俺が欲しいのは、駄賃欲しさのガキの使い走りでもなければ、荷物の中身を掠《かす》め取って小銭を稼ぐような小賢《こざか》しさでもない。どんな物《ブツ》でも、決められた時間に確実に運んで届けることができる俺の手足《キャブ》だ。頭がキレて度胸もあるに越したことはないが、俺の決めたルールを守れないような駄犬はいらない。それでもよければ、やってみるか？」

無表情にそう言い切った。

それでも。リキが必要以上の嫌悪も反感も感じなかったのは、ザックと同様に、男が一度も『スラムの雑種』であることを問題視しなかったからだ。太っ腹というより、徹底した能力主義者なのだろう。

求められているのは出自の優劣ではなく、きっちり仕事ができるか否か――である。

ならば、リキには何の異論もなかった。

いきなり降って湧《わ》いたような幸運《ラッキー》に一も二もなく飛びつくには、素性もわからないスカーフエイスの男はさすがに胡散臭すぎるような気もしたが。夢の欠片を拾うチャンスもなく、ただ自堕落に時を食い潰していくしかないスラムの雑種にとって、それはまさに、鼻先にブラ下がった御馳走《ごちそう》以上に価値のあるものだった。

ただ待っているだけでは、何も始まらない。

リキは、その場で即答した。

「やらせてもらう」

「では、これで契約は成立だな」

そう言って、男は煙草《たばこ》に火をつけて一息吸うと。

「俺は、カッツェだ」

胸のポケットからパスケースを取り出して机の上に置き、それを取るように、目でリキを促した。

リキがぎくしゃくと手に取って、物珍しげにしげしげとパスを見つめると、

「無駄にならなくてよかった」

初めて、唇の端をわずかに和らげた。

それが、闇《ブラック・マーケット》市のブローカーとして名を馳《は》せるカッツェとリキとの、ある意味、運命とも言うべき出逢《であ》いになった。


細面の優男《やさおとこ》然とした外見に似合わず、カッツェは頭のキレすぎる寡黙な男であった。

人間嫌い――とまではいかなくても、仕事での人間関係以外、他人のことにはまるで関心がないようにも思えた。

それがただのポーズではなく、カッツェという男の生き方なのだと思うと。どこかしら自分

に近しいモノを感じて、リキは、何やら不思議な気分になった。

リキのプライベートを深く詮索《せんさく》しない代わりに、カッツェは、自分のことは必要最小限度のことしか話さない。そんな、

『ブラック・マーケットで生きていくのに過去は不要』

だと言わんばかりのカッツェだが。今どきの医療技術を持ってすれば、それこそ、頰の傷など跡形も残らずにきれいに消してしまえるだろうに。あえて、そのままにしてあるということは、

(あれって、やっぱ、何かの戒めだったりするのか?)

などと。つい、そんなふうに勘繰ってしまいたくなるリキだった。

(まっ、顔で仕事をするわけじゃねーしな)

デキる男が目の前に存在するということは、それだけで掻き立てられるモノがあった。

スラムでくすぶっていたときには微塵《みじん》も感じなかった、明確な『欲』が出る。

いつか、きっと……。

それが、ただの夢ではなくなる日が来るような気がして。

リキは、カッツェのことは何も知らない。

それなら、それでもかまわなかった。別に、カッツェと馴れ合いたいわけではなかったし。

そんなことは、まるで期待してもいなかった。

カッツェにとって自分は、数ある『運び屋』のうちの一人にすぎない。誰に言われるわけで

もなく、リキは当然のこととしてそれを自覚していたからだ。

けれども。

黙して語らないのは、カッツェだけで。

いったい、どこから、こんな奴らを集めてきたのか……とも思える、人種も年齢もまちまちの一癖も二癖もありそうな連中は、よくも悪くも必要以上に新参者のリキをかまいたがった。

それで、愛想笑いのひとつでもできるような可愛《かわい》い性格ならば、何の問題もなかったのかもしれない。

だが。

やはり。

リキは、どこにいても『リキ』だった。

きっぱりと断言してもいいが。リキは、自分から悪目立ちをしたいと思ったことはただの一度もない。

奇異な目で見られることにも慣れすぎていて、あからさまに黙殺する意識はなくても、たいがいのことでは視界の端にも引っかからなかった。

が――それでも。

これまでの経験から、自分の存在が、ある種の男たち（…それが、どういう条件付けであるのかまではわからなかったが）にとっては見過ごしにできない『何か』を刺激する誘発剤になっているらしい――という自覚は多少なりともあった。

しかし。自覚はあっても、それを自戒してトラブルを未然に回避しようとする気はまるでなかった。それがいかに無駄な努力であることか、リキは、うんざりするほどに知りすぎていたからだ。

まだ起こってもいないことを、あれこれ考えるのは面倒くさかったし。第一、そんなことを気に病むほど、リキは他人に興味がなかった。

けれども。

『蛇《じゃ》の道は蛇《へび》』

——とでも言うのか。あえてリキが自分の口でふれて回るまでもなく、リキの素性はすでに筒抜け状態であった。

それで、態度をコロリと豹変《ひょうへん》させるもの。

あくまで、傍観者に徹する者。

ただ、彼らに対するリキのスタンスだけが変わらなかった。

そんな態度が他人目《はため》には傲慢に見えるか。

ただの、片意地と映るか。

そんなことは、リキにとってはどうでもいいことであった。

運び屋には『メジスト』と呼ばれる制服組と、傭兵《ようへい》組の『アトス』の派閥がある。

総じて『メジスト』はリキを異様に嫌悪し。得てして『アトス』は傍観者を決め込む傾向にあった。

それでも。ミダスの公式マップから永久抹消《デリート》されてしまったケレスの住人である『スラムの雑種』が、物珍しいことに変わりはないのだろう。

あるいは。ケツの青さの抜けない十代半ばのガキなど、端《はな》から『仲間』だという認識すら持てないのか。

いつでも。

どこでも。

そんな連中の、露悪的とも思える好奇の視線はあからさまであったし。ジョークに名を借りた侮蔑《ぶべつ》まじりの悪口雑言で横っ面を張られることなど、別段、大して珍しくもなかった。

そして、思い知るのだ。

リキにとっては、ブラック・マーケットで泳ぎ回るのに過去は不要だが。リキがリキである限り、過去のしがらみは容赦なく付いて回るのだと。

思い込みによる蔑視《べっし》も。

生理的な嫌悪も。

謂《いわ》れのない偏見も。

そんなものは、生まれたときからの顔馴染みだった。いちいち過剰に反応して目くじらを立てていられるほど、今のリキに余裕があるわけではない。

『最年少の下っ端』

その言葉通り、何もかもが初めてづくしの運び屋には覚えることは山ほどあった。

だが。コナをかけてもいっこうにノッてこない、可愛げの欠片もないクソガキに焼きを入れるのも年長者の身勝手な特権だったりするのだろう。

さすがのリキも、そのうざったさに閉口して、ついにはブチキレる。

そして。連中にとっては、おそらく、とんだ予想外だったに違いない派手な殴り合いになったとき。

ニヤニヤと興味本位で事の成り行きを眺めていた傍観者たちも、それなりに、思い知ることになった。

何かにつけて最低最悪の代名詞にされる『スラムの雑種』というカテゴリーが特殊なのではなく、不遜なほどにきつい眼光を放つ『リキ』という存在自体が稀種なのだと。

カッツェは、体格でははるかに勝る連中に突っかかっていったリキの無謀に呆《あき》れるでなく。喧嘩《けんか》慣れした、その意外な剛腕ぶりに感心するでもなく。かといって、体格のハンデを補うように容赦なく急所を狙い撃ちにしたエゲつなさを咎《とが》めるでなく。いつもの醒めた口調で、

「さすが『バイソンの頭《ヘッド》』の異名《なまえ》は伊達《だて》じゃない……というところか」

こともなげにそう言ってのけた。

まさか、ここで『バイソン』の名前を持ち出されるとは思わなかったリキは、切れた唇の血を拭《ぬぐ》ってカッツェを睨む。

「ケンカは、強いヤローが勝つんじゃねー。勝った奴が強いんだ。ヤるかヤラれるかってときに、キレイも汚いもあるかよ。負けてピーピー泣き言を言う奴は、ただの負け犬《バカヤロー》だ」

「名言だな。あいつらも、まさか、自分の体重《ウエイト》の半分以下のガキにいいようにやられるなんて、思ってもみなかっただろう」

連中にしてみれば、

『クソ生意気なガキを、ちょっとシメてやる』

くらいのつもりだったかもしれないが。そのクソガキが、思った以上に凶暴な牙《きば》を隠し持っていたのが不幸《ケチ》のつきはじめだったのだろう。

日頃の大口に反してものの見事にしてやられたショックは、かかなくてもいい恥の上塗《うわぬ》りになった。

スポーツジムのエクササイズで作り上げた筋力は、ただの張りぼて。実戦で鍛えた身体のキレには敵《かな》わない。

「見かけに騙《だま》されてナメてかかると思わぬしっぺ返しを喰らう。あいつらにとっては、高い授業料だったかもしれんがな」

カッツェに言われるまでもなく。そのことを誰よりも痛感しているのは、リキをただのガキだと侮《あなど》って痛い目を見た連中だったに違いない。

「だからって、おまえが、誰かれ見境なく牙を剝《む》く狂犬だと思ってるわけじゃない」

どこか意味深に、カッツェはボソリと漏らす。

目には目を、ついでに骨も肉も……。それがスラムの鉄則だ。

育ったフィールドが違うからといって、何もかも、相手の流儀に合わせてやる必要はないだろう。

売られた喧嘩を買うも買わないも、それはその日の気分次第だが。買った喧嘩の落とし前は、きっちり付ける。それがリキの信条《ポリシー》だった。

「糞溜《クソだめ》を這《は》い回るスラムのクズ呼ばわりされたのが、そんなに気に入らないか？」

違う。

気に入らないのは『糞溜のクズ』呼ばわりをされたことではない。くだらないことばかり――凝り固まった偏見を毒にまぶしてネチネチ絡んでくる、奴らの腐った根性だ。

だが。それを口にしたところで、今更、何が変わるわけでもない。

だったら。

奴らも、とことん思い知ればいいのだ。口は禍《わざわい》のもとであることを。身体で知った痛みは、決して忘れることはないだろう。

それを思って、リキが睨み返すと。カッツェは、

「――怖いな。そう露骨に睨むなよ」

白々しく片頬で笑って、煙草に火をつけた。

「偏見という差別意識は、そう簡単には消えてなくならない。口ではどんなに立派な正論を吐こうと、腹の中じゃ何を考えてるかわからない奴は腐るほどいるからな。どれだけ時代が変わろうと、世の中ってのは、たいがい、そういうふうにできてる」

ゆったりと紫煙を燻《くゆ》らせながら吐き出す言葉は、実に淡々としていた。ただ、

「ケレスの雑種は自堕落に老いさらばえていくしか能のない最低のカス——だからな。そんなこと、今更、他人に言われるまでもないだろ？　だったら、マーケットの流儀《やりかた》に慣れろ。クソ度胸だけで生き残れるほど、マーケットは甘くない」

リキの黒瞳を見つめる眼差しは、思いがけないほど真摯だった。

「だから……。耳は澄まして、いつでもアンテナは立てておけ。何があっても、現実から目を逸らすな。だが——口だけはしっかり閉じておけ。成り上がるってことは、そういうことだ。

——わかったか？」

それがそのまま、カッツェの生きざまを物語っているようで。しばし、リキはカッツェから目を離すことができなかった。

それから、しばらくして。カッツェがリキと同じスラム出身なのだと巷《ちまた》の噂《うわさ》で知ったときには、さすがに唖然《あぜん》とした。

（——マジで、か？）

それは、久々に、頭の芯までズキズキ痺れるほどの衝撃だった。

だから、リキは。カッツェが、

『スラムから這い上がるということは、こういうことだ』

頬の無惨な傷痕を曝《さら》しているように思えてしょうがなかった。

『おまえには、その覚悟があるか？』

——と。

（あるさ）

リキは、胸の内でひそと洩らす。

スラムの汚穢《あか》にまみれてただダラダラと老いていくしかないのなら、せっかくつかんだチャンスを無駄にしたくなかった。

スラムで覇権《テリトリー》を奪い合って抗争を繰り返す。

確かに、それも、身の内にこもる熱を発散させるためのガス抜きにはなったが。頭も腕も、使わずにいればサビついてしまう。それを、嫌というほど痛感してしまったから。

（成り上がってやる。絶対）

決意も新たに、リキは、明日の自分を見据えた。曇りのない両の眼で。

カッツェは、

「欲しいのはガキの使い走りではなく、確実に荷物《ブツ》を運んで届けることができる俺の手足《キャブ》だ」

そう、言ったが。リキのような最年少の下っ端は、当然のことながら、初めはただの使い走りであった。

そのうち、一を聞いて十を知る機転のよさと、物怖《ものお》じしない勝ち気さが調法がられ、次第に値の張る物を任されるようになっていった。

同じスラム育ちということで、カッツェが特別に目をかけてくれるかもしれない——などと、そんな甘い期待はしてもいない。カッツェがそんな中途半端に公私混同するような人物でないことは、誰でもが知っていることである。

――いや。

自分の才覚だけでブラック・マーケットのブローカーにまで成り上がったカッツェだからこそ、同じ境遇のリキを見つめる目は更にシビアであるに違いない。そう、思った。

それでも、リキは。誰が見ても文句《ケチ》の付けようがないだけの実績を上げるまでになっていた。

そうなると、仕事が面白くてたまらなくなる。

リキはそうやって、まるで水を得た魚のように潑溂《はつらつ》とブラック・マーケットを泳ぎ回った。

『黒髪《ダーク》のリキ』

そんなふたつ名で呼ばれながら……。

*****10

海を渡り、鬱蒼《うっそう》とした樹木が錯綜《さくそう》するグリーン・ベルトを吹き抜ける風がようやく潤みはじめた――その日。

リキは。エリア－2『FLARE《フレア》』とエリア－6『JANUS《ヤヌス》』との境界線を兼ねるオレンジ・ロードまでエアバイクを飛ばし。いつものようにパープル街の外れにある専用のガレージにバイクをブチ込むと、そのまま、一人ブラブラと歩道を歩きはじめた。

うららかな日差しにくっきりと影を落とす街路《ストリート》は、まだ正午前とあってか人影もまばらだった。そのせいか、見慣れたはずの光と陰が交錯するビル群もいつになく、どこか、けだるげであった。

夜通しはしゃぎ回っていた観光客がおとなしく惰眠を貪っているこの時間帯が、もしかしたら、ミダスでは一番平和だったりするのかもしれない。

そんなことをチラと思いながら、リキは、ゆったりとした足取りで歩き続ける。

ミダスのエリア間を縦横に、しかも制限時速を守ってバイクを飛ばすことも。

昼日中、ゴミひとつ落ちていない小綺麗な街路を横目にしながら散策することも。

初めのうちは何となく違和感を覚えて、その足取りもぎくしゃくとぎこちなかったものだが。今ではもう、すっかり馴染んでしまった。

本通りから裏道へ抜け、リキはさりげなく注意を払いながら二十四時間営業の合法ドラッグ・ストアーの通用口《ドア》をくぐる。そこは、リキたち運び屋専用の出入り口になっており、登録済みの右手の掌紋《しょうもん》チェックで開閉するようになっていた。

その地下が、カッツェの仕事場《アジト》である。

カッツェからの呼び出し《コールサイン》を受け取ったのは、二時間前のことである。別に急用だとも言わなかったので、リキはいつも通り、約束の時間の十分前には顔を見せるつもりだった。

地下へ潜るには、専用エレベーターを使う。それも、ほかの連中に言わせると、

「いまどき、こんな旧式《ポンコツ》、どこも使ってないよな」

「…ったく、うちのボスの骨董《こっとう》趣味にも困ったもんだぜ」

「いいかげん、最新式のやつに取っ替えてくんねーかな」

今では取り替え部品も特注しないと手に入らないだろう年代物の電動エレベーターで。徹底した能力主義の権化とも言われるカッツェがどうして、こんな旧式にこだわっているのか……。いまだに謎である。

カッツェから渡されたカードキーを差し込むと、すぐにエレベーターのドアが開く。

のっそりとした足取りで乗り込むとドアが閉まり、リキは、すでに身体に馴染んだ特有の振動に生あくびを漏らした。

カッツェの仕事場が地下何階にあるのか、リキは知らない。エレベーター内には階数を知らせる表示がどこにもなかったからだ。

エレベーターが止まったところが、カッツェの居城。それだけわかっていれば充分なので、別に不満もない。

それよりも。シンプルというより無駄なモノをすべて排除したかのようなカッツェの執務室は、まるで無機質なブラック・ボックスのようで。何度来ても、慣れない。

初めてここに足を踏み入れたとき。リキは、

（もしかして、カッツエって、極めつけの潔癖性だったりするんじゃねーか？）

あまりの異質感に脇腹《わきばら》のあたりが軽く引き攣《つ》れる思いがした。

反面。スラムの猥雑さに身体の芯までどっぷり染まりきったリキにはどうにも居心地が悪いだけの部屋も、ユニセックスめいた玲瓏《れいろう》な雰囲気を醸し出すカッツェには、なぜか似合いすぎているような気もして。

根は同じスラム出身なのだとしても、リキはここに来るたびに、自分とカッツェの埋まらないギャップのようなものを感じずにはいられなかった。

（これって、やっぱ、成り上がった奴と下っ端の格差ってやつなのか？）

カッツェはリキの姿を認めると、いつものように目で挨拶を投げて寄越した。

しかし。いつもと違って、机上の端末機から目を離せないところを見ると、タイミングが悪かったのかもしれない。

そう思って。リキは、チラリと部屋の角《すみ》に目をやった。

この部屋で唯一寛《くつろ》ぐことのできるソファー。

いつもは、リキの特等席であるはずのそこに、身体を寄せ合うように座っているふたつの顔を見つけたからである。

(へぇー、珍しいよな。こんなの、初めてじゃねーか?)

リキの知る限り。普段のカッツェは、仕事の関係者以外の人間は決して部屋の中には入れなかったからである。ましてや、子どもなど論外であった。

二人とも、愛らしいというよりは端整な顔立ちだった。

目元、口元に残る幼さはあったが、ちょっと見た目には年齢も性別もわからない。そういう類《たぐい》の美しさでもあった。

そんな二人がピッタリと身体を寄せ合って座っている様は、まるで、この殺風景すぎる部屋に唯一彩りを添える一対の人形のようでもあった。思わずリキが、

(まさか、この部屋に飾っとくとか……。そんなんじゃねーよな)

内心、冗談にもならないことを口走ってしまうくらいには、充分に。

どちらも、ひと昔前の、時代がかった濃紺のローブで足首まですっぽり包まれている。

それが、ことさら二人の素性を謎めいたものに感じさせた。

そんなものだから。

リキは。いまだに何の説明もなく端末機を叩いているだけのカッツェが、底意地の悪い、何

かの謎かけでもしているのではないか——と。つい、勘繰りたくもなってしまった。

両耳に血の雫《しずく》にも似たルビーのピアスをしている方は、くせのない、見るからに柔らかそうな金髪《ブロンド》だった。

だから、だろうか。一瞬、あの男の豪奢《ごうしゃ》な黄金の長髪《ブロンデイー》を思い出して。リキは、いまだに喉に小骨が突き刺さったままの苦い痛みすら覚え、内心、舌打ちを漏らさずにはいられなかった。

もう一人は、艶《つや》のある見事な黒髪をしていた。リキのそれと遜色《そんしょく》ないほどに艶やかな髪は、肩を過ぎたあたりできれいに切り揃《そろ》えられている。

彫りが深い容貌を更に際立たせるためか。それとも、ほかに何かの事情があってか。額には、大粒のサファイアが埋め込まれている。

リキは宝石の目利きにも、その価値にも疎かったが。なぜか、ルビーのピアスも額のサファイアも本物であることを信じて疑わなかった。

逆に、そう思わせるだけのモノを二人が秘めている——とも言えるが。

しかし。二人ともに、その双眸《め》は硬く閉じられたままで。ただの一度もリキを見ることはなかった。

そして。ようやく、

「待たせたな。ちょうど切りのいいところまで片付けてしまうつもりが……遅くなった」

カッツェがそれを切り出したときには、正直言って、ホッ…とため息が漏れた。

「アレクは？」

今現在、リキの相棒《バディー》である男の名前を口にすると。カッツェは、

「第三格納庫だ」

簡潔明瞭《めいりょう》に、それだけを告げる。

つまりは。早々と、今回の荷送《トランジット》のためのカーゴ・シップの調整に回っているということなのだろう。

リキと組んだ最初の頃のアレクは、下っ端の新参者に手取り足取り状態だったが。

『百聞は一見にしかず。それだって、実際に自分でやってみたことには敵《かな》わない。まっ、何事も経験だ』

それが口癖のアレクは、近頃では、下準備の打ち合わせ等の細々とした雑用はすべてリキに任せて、荷送のための物資調達に専念するようになった。

何事も経験。

それは、リキにとっても願ってもないことだが。何かにつけてあれこれと扱《こ》き使われる下っ端としては、結局、お気楽主義の相棒のことだから、

(自分が楽をしたいだけなんじゃねーのかよ?)

などと、思ってみたりもするのだった。

リキは。今回の仕事が辺境ラオコーンまでの荷の輸送だと聞かされても、さして驚きはしなかったが。『物』がその二人だと知らされ、思わず眉をひそめた。

正規のルートではなくマーケットの貨物艇《カーゴ・シップ》に乗せるということは、自ずと二人の素性も知れ

てくるというものだろう。

（チッ、まだガキじゃねーか）

リキ自身、今更、他人の性癖をあれこれ言えるほどのモラリストではなかったが。

それでも。まだ陰毛も生え揃っていないような子どもを好んで抱く連中には、虫酸《むしず》が走る。

だからといって。ただの運び屋にすぎない自分が憤りを覚えたところで、何も変わるはずもなかったが。

（それにしたってなぁ……）

再度二人に視線を這わせながら、リキはどうにも合点がいかずに小首を傾《かし》げた。

ピアスにしろ、額のビンディーにしろ、二人が並みのハーレム育ちでないことは一目瞭然《いちもくりょうぜん》であった。わずかに露出した容貌は、まるで高級ペットのそれである。

それが、闇《うら》のルートで取引されることもそうだが。売り物の『商品』には万全の品質管理《ボディー・チェック》を怠らないのが商売人の鉄則だろうに、二人が揃って『盲目』というのが何とも解せなかった。

が――まさか、二人の目の前でそんなことを問い質《ただ》すわけにもいかず。

一応の手筈《てはず》を聞き終えて、二人が他のスタッフに抱きかかえられて部屋を出ていってしまうと。リキは、もしかしなくても、

『よけいな詮索はせずに、きっちり自分の仕事をこなせ』

ぐっさりと肘鉄《ひじてつ》を喰わされることはあえて承知の上で、その疑問をぶつけずにはいられなかった。

だが、カッツェは実にあっさりと言ってのけた。

「あれは『ラナヤ』の特注品だからな」

一瞬――リキは息を呑んだ。

「あれ…って、もう、だいぶ前に閉館《つぶ》れたはずだろ？　違うのか？」

「一応、表向きはな。だが、大金を注ぎ込んでもそういう生き人形を手に入れたがる好事家は、どこにでもいる。持って生まれた性癖だけは、今更、どうにもならないからな。だから、地下に潜った。そういうことだ。ビジネスってのは、需要があってこそ初めて成り立つものだからな」

何の私情も交えず、淡々とカッツェが告げる。

対照的に。リキは、あからさまな嫌悪感を隠そうともしない。

カッツェは、そんな露骨すぎる顔つきに苦笑を漏らすでもなく、相変わらずの口調でぴしゃりと言い放った。

「マーケットの仕事に、きれいも汚いもない。おまえは自分の役目をキッチリこなせば、それでいいんだ。よけいなことは考えるな」

「――わかってるさ、そんなこたァ……」

リキは言葉少なに吐き捨てる。喉元に迫《せ》り上がってくる胸糞悪さを無理やり嚥下《えんか》するかのように。

『ラナヤ・ウーゴ』

今や伝説めいた名のみを残すその館《やかた》を、リキは、噂でしか知らない。

かつて。派手なネオンが列座するミダスにあって、それは、唯一の異質を感じさせたという。

ただ単純に我欲を満たすには、その『名前』はあまりに昏《くら》く。常に、重苦しいイメージが付きまとう。享楽を貪ることにはひどく寛容なはずの来訪者たちにも、ある種の生理的嫌悪を抱かせずにはおかない『魔性の館』であった。

紳士も。

淑女も。

高邁《こうまい》な思想を説く人格者も。

高潔であるはずの、聖職者も。

そこでは、ただの男と女よりもはるかに下劣な『雄』と『雌』に成り下がる。人間《ひと》としての理性も品性もかなぐり捨て、剝き出しの本性が命ずるままに。

セックスを時間で切り売りする『ラナヤ・ウーゴ』の少年少女は、総じて、目を瞠《みは》るほどの美形揃いであった。

だが。五体満足な健常者は、ただの一人もいない。

偶然生まれた先天性の畸形児《きけいじ》でも、突然変異の異端児《キメラ》でもない。

遺伝子操作によって、意図的に、そういうふうに造られるのである。

なまじ彼らが端整な容貌をしているだけに、それは、痛々しいほどであった。

彼らは、ただ物珍しいだけの見世物として衆人環視に曝されるわけではないが。『愛玩具《フェアリー》』

と呼ばれる異端のセックス・ドールであることに変わりはなかった。

彼らがすべて盲目なのは、客の選り好みをなくすためというよりはむしろ、己の異端を自覚させないためである。同時に、視えなくすることで、残された感覚をより鋭敏にするためでもある。

そして。うっかり歯を立てて客の身体を傷つけないように、主に口内セックスで相手の性器を傷つけてしまわないように、ある程度の年齢に達するとすべて抜歯してしまう。

そんなふうにして、ほんの幼児の頃から閨房《けいぼう》術だけをみっちり仕込まれるのである。

生涯あてがわれた部屋から一歩も出ることのない、畸形のセックス・ドール。

それを思うとき。リキは、スラムの腐臭と同じものを感じた。

活かさず。

殺さず。

ただ『自由』という名の檻の中で腐れていくだけの絶望を。

ただのセックスでは飽き足らなくなってしまった好事家という名の変態趣味の輩《やから》は、腐るほどいる。

あるいは。自分の隠れた性癖を思い悩み、持て余す者も。

そんな欲求不満や我欲まじりの劣情を余すところなく受け入れ、金さえ出せば、確実にそれを具現してみせるのがミダスの歓楽街である。

しかも。極めてプライベートな性癖が他人《そと》に漏れる心配もない。

人に後ろ指を指されず、危険な賭《か》けをおかす必要もなく、好きなことを好きなだけ堪能できる――シャングリ・ラ。

来訪者《ビジター》はその魅力に取り憑《つ》かれ、すべからくリピーターになる。

ミダスが、不滅の『不夜城』と呼ばれる所以《ゆえん》である。

そんなミダスで、異端の最右翼と言われた『ラナヤ・ウーゴ』が歓楽街からその姿を消してしまったのは。連邦に加盟している星系の大資産家と言われた高名な貴族が、畸形のセックス・ドールに執着するあまりに身も心も病んで、挙げ句の果てに無理心中を謀《はか》って爆死するという、あまりにスキャンダラスな事件があったからだ。

金も地位もなく、ミダスとは一生縁のなさそうな星系全土にまで『ラナヤ・ウーゴ』の名を一躍有名にせしめたのは、爆死した貴族が、表向き、平和主義の高潔な人格者としてその名を馳せていたからだった。

無理心中を謀ってひっそりと情死しただけならば、事件《こと》はこれほどまでの大スキャンダルにはならなかっただろう。男の名誉と家名をおもんぱかって、その死の真相は闇の中に葬り去られたかもしれない。

だが。男は畸形のセックス・ドールを道連れに爆死するという手段を選んだ。

病んだ男が何を思ってそんな非業の死を演出しようとしたのか……。それは誰にも解き明かすことのできない、永遠の謎だ。

男の血族は、当初、何かの事件に巻き込まれたに違いないと思っていたらしい。

テロか。

それとも。単なる事故、か。

全宇宙のマスメディアの視線が一気にミダスに集中する。

ミダスの高官は歓楽都市としての安全神話のイメージダウンを恐れ、なんとか穏便に事件を揉《も》み消してしまいたいと躍起になり。

『星系連邦の歩く広告塔』とも言われた男のスキャンダラスな怪死に、連邦の関係者はその面目を失って蒼白《そうはく》となり。これがきっかけでタナグラとの関係までもが一気に悪化することになるのでは——と、怯《おび》えた。

そんな彼らの切羽詰まった心情とは裏腹に、事の真相を何も知らされていない男の遺族は事件の徹底糾明を強硬に主張した。

遺族は、己が一族の財力と特権にモノを言わせてメディアを煽《あお》り。果ては、その仲介を取る連邦高官の及び腰にすっかり業を煮やし。そして。自らが陣頭指揮を取るべく、一族郎党を引き連れてミダスに乗り込んできたのである。

事件解明に向けて秘密主義に徹するミダスを糾弾《きゅうだん》し、その正義を糾《ただ》すという妄執に取り憑かれてしまった彼らを止められる者は、誰もいなかった。

いや。

もしかしたら……。

星系全土に影響力を持つと言われた一族の威光が唯一届かない惑星『アモイ』を、自らの足下に跪《ひざまず》かせる願ってもない絶好のチャンスだと思い上がっていたのかもしれない。

そして。ついには、その責任の一端と法外な賠償請求をタナグラに突きつけるという暴挙に打って出た。

――とたん。

その間、ひたすら沈黙を守り続けていたミダス側から、まるで満を持していたように事件の真相を一斉に暴露されて。彼らは。呆然《ぼうぜん》絶句の挙げ句、唇を引き攣らせたまま声もなく卒倒したのだった。

その後。男の一族は、マスメディアを通じて、

『今回の事件は、自分たち一族を陥れるための陰謀だッ!』

と、事あるごとに主張を繰り返したが。そのヒステリックなわめき声も虚《むな》しく空回りをするだけで、泥に塗《まみ》れて地に墜ちた家名を挽回する起爆剤にはならなかった。

前代未聞の大スキャンダルで、魔性の館と言われた『ラナヤ・ウーゴ』はついに閉館に追い込まれてしまったが。その痛み分けというにはあまりに多くのモノを失う羽目になってしまった男の一族は、今では、過去の栄光も見る影もなくなるほどに没落してしまったという。

観光客同士のちまちまとしたトラブルはあっても、そんなスキャンダルに塗れた過去など微塵も感じさせないミダスだが。そういう事実は確かにあったのだと、カッツェは、淡々と語る。

そして、今では。『ラナヤ・ウーゴ』は地下に潜って甦《よみがえ》り、特別注文《オーダー・メイド》で『愛玩具』を受注生産するまでに復活した。

財力という権威で連邦を牛耳《ぎゅうじ》っていた男の一族が急速に没落してしまったことで、連邦内での覇権争いが熾烈《しれつ》になったこともまた事実である。

男の一族が声高に主張した『陰謀』とやらは、果たして、ただの眉唾《まゆつば》であったのか。

――なかったのか。

陰でひっそりと奸計《かんけい》を巡らせた者は、本当に存在しなかったのか。

――どうなのか。

今では、それもすっかり闇の中だ。

「どんなに高潔な『血』でも、澱《よど》めば腐るということだな。巨大な組織の中では弱者《マイノリティー》は容赦なく押し潰されるだけだが、逆に、たった一人の存在が組織を食い潰すことだってある」

「けど、そいつが箱の中の腐った果実《キリコ》なのか、それとも、隠れた英雄《マテウス》なのか。それを決めるのはそいつ自身じゃなくて、赤の他人だろ？」

「――理不尽だと思うか？」

「別に。他人が思ってる正義がたったひとつの真実じゃないんだってわかってりゃ、それでいいし。だったら、やりたいようにやるだけさ」

「もし……それで、目の前の誰かに憎まれるとわかっていてもか？」

カッツェの銀《アッシュ・グレイ》灰の双眸がひどく真摯な色を刷いて、リキを凝視する。

とたん。

なぜか。

息が詰まるような気がして……。

リキは、その眼差しから眼を逸らすことができなかった。

なぜ、カッツェが、いきなりそんなことを言い出したのかはわからないが。それでも。カッツェの言っているそれが、一族を壊滅に追いやった男の話とは別の『何か』であるように思えた。

いつものカッツェとは違う。決して外れることのない冷めた仮面の向こうから、何か……カッツェの本音のようなモノが透けて視えた。

――ような気がした。

だから、だろうか。

「それが……。もし、それが、自分にとってどうしても譲れないことなら――しょうがないんじゃねーの？　一生憎まれてもいい……ぐらいの覚悟ならさ、中途半端に善人を気取る必要もねーだろ？」

普段なら、めったに口にしないような言葉がリキの口を突いて出た。

「大事なモノを握り締める手はふたつしかないんだ。だったら、どんなに惜しくてもみっつめは捨てるしかねーよ」

人間、欲をかくとロクなことにならない――のは、万国共通の格言でもある。

もっとも。欲をかこうにも、スラムの人間には、両手でつかめる夢も希望もないのが現状であった。

何より、リキの頭の中には、

『大事なモノをつかめる手はふたつしかない』

それを言った人物の顔とその言葉の重みが、今でもずっしりと刻まれている。

「ふたつの手でつかめないモノは、捨てるしかない……か」

カッツェもまた、その言葉の意味を嚙み締めるようにつぶやいて片頰を歪める。

すると。何があっても崩れることのないその冷たいポーカーフェイスぶりに、マーケットでは『氷のスカーフェイス』と異名を取るカッツェの美貌を裂いて走る傷痕までが引き攣れてしまったようで。リキは、その思いがけない生々しさにドキリとした。

カッツェは愛用のシガレット・ケースから煙草を一本引き抜くと、慣れた仕種《しぐさ》で火をつけた。

一息、深々と吸って。ゆったりと、紫煙を吐き出す。

そんな光景も、今ではすっかり、目に馴染んでしまった。

「なるほどな。それが、おまえの揺るぎないポリシーなわけだ」

そのときにはもう、カッツェは、いつものカッツェに戻っていた。

「ガーディアンじゃ、そんな格言も説教も聞いた覚えはないんだが……。自説か？　それとも、誰かの受け売り……だったりするのか？」

リキは、いきなり『ガーディアン』を持ち出されて面喰らう。

普段のカッツェは、リキと顔を突き合わせてもスラムの『ス』の字も口にしないし。第一、仕事以外のことで、こんなふうに長々と無駄話をすることもない。

なぜだかわからないが。今日のカッツェは、いつものカッツェとは違う。

先ほどから、まるで意味のわからない謎解きを立て続けに吹っかけられているような気がするのは、リキの気のせいだろうか。

けれども。

リキは、不思議と、それが嫌ではなかった。

ブラック・マーケットの中で、唯一、自分と同じアイデンティティーを持つ同胞。

そんなものを心の拠り所にするつもりは更々なかったが。『カッツェ』という確固たる存在があるということはリキにとってはひとつの指針であり、同時に、心の中での安寧《あんねい》をもたらしているのもまた事実であった。

「ガーディアンを出るとき、アイレが、俺にそう言ったんだよ」

「アイレ？　あー……もしかして、おまえと同じブロックにいたB　S《ビッグ・シスター》のことか？」

「アイレはBSじゃねーよ。アイレは……俺の仲間だ」

「だから、つまり、ブロック・メイト——だろ？」

「違う。『友達《ドニー》』じゃなくて『仲間《マリエ》』だ」

いっそきっぱりとした口調で、リキは言い切った。ミダスの公用語ではなく、スラムの俗語《スラング》で。

束の間。

カッツェは、訝《いぶか》しげに言葉を呑んで。

そうして。記憶の中の何かを手繰り寄せるような手つきで煙草の灰を落とした。

「…『ドニー』じゃなくて『マリエ』か。ずいぶんと、その線引きにこだわるんだな」

「線引きしたのは俺じゃない。あいつらだ」

わずかに憮然《ぶぜん》とした顔つきで、それを言う。

『ガーディアン』を出て何年経とうが、その事実は変わらない。

そのことを、カッツェは笑いもしなければ皮肉ったりもしなかった。ただ、静かな眼差しを向けただけで。

『ガーディアン』に、リキの『友達』はいなかった。

いたのは、いつも恐々《こわごわ》と自分を遠巻きにする『傍観者』と。

何かといえば、すぐに牙を剝き出しにする『敵』。

そして。自分を癒してくれる唯一の『理解者』と。

幼年時代の過去を共有する『仲間』――だけ。

素直に友達と呼べる関係は皆無に等しかった。

ケレスで唯一の楽園と言われる『ガーディアン』も、リキにとっては馴染むに馴染めない、ただ窮屈なだけの収容所であった。

「……なるほど。で？　そのアイレってのはもちろん、おまえよりも年上なんだろ？」

「たしか……三歳《みっつ》上だった」

「まぁ、ガーディアンでの三歳違いっていうのは大きいからな。特に、女は口が達者だし。そのくらいの年齢でおまえにあんな説教じみたことが言えるくらいなら、ずいぶんと利発で大人びた少女だったんだろうな」

「そう……だな。ちょっと変わったとこはあったけど、アイレはすごく綺麗《きれい》だったよ。誰も彼もが『天使《ランジエ》』って呼んでたからな」

光り輝くようなプラチナブロンドの巻毛に、大粒の宝石を埋め込んだような双のエメラルド・アイ。

ナニーと呼ばれる世話役《おんな》たちの手で頭のてっぺんから足の先まで綺麗に磨き上げられて着飾ったアイレは、部屋の天井に描かれた『天使』たちのように目映《まばゆ》かった。

『リキ、どこにも行っちゃダメよ？　リキは、あたしの《お守り》なんだから……。ずっと、ずっと……あたしのそばにいてね。約束よ？』

チェリー・ピンクの唇が紡ぎ出す言葉は、甘い砂糖菓子のようだった。

その愛らしい唇で『おやすみのキス』をされて眠るのが、あの頃の、リキの一番の幸せであった。

もう、ずいぶん昔のことなのに。なぜか、リキの記憶は色褪《いろあ》せない。

リキにとって、アイレは世界のすべてだった。

あの日。罵声《ばせい》と怒号が騒然と飛び交う果てに、どこの誰ともわからない大人たちが寄って集《たか》って自分たちの『世界』を引き裂いてしまうまでは。

思えば。あれが『夢』の終わりで、すべての始まりだったのだ。

当時のリキは何もわからなくて。ただ運命の渦に身を任せるしかない、無力なだけの幼児《おさなご》でしかなかったけれども。

だが。そんなリキの感傷も、

「ほぉ、それはまた……ずいぶんな特例だな。あそこは『子どもは皆平等』というのが基本で、誰かをそんなふうに愛称で呼んで特別扱いしたりはしなかったはずなんだが……。おまえの時代は違ってたのか?」

何気ないカッツェの言葉に抉《えぐ》られて、瞬間、ドキリとする。

カッツェの言う『あそこ』とリキがつい口を滑らせた『あそこ』は、まったく別の場所のことだ。

内心ヒヤリとしながらも、リキは狼狽《うろた》えることもなく、

「子どもはどの子もみんな可愛くて、誰もが平等——なんて。そんなの、ウソ臭いだけのおためごかしじゃねーか。何でも言うことを聞いて手のかからない奴は可愛くて、根性のヒネてる奴は扱いづらくて可愛くない。それでもって、我がまま放題のクソヤローは最低……。口には出さなくても、そんなの見え見えだって。俺なんか、他所《よそ》のブロック・マザーにまで『協調性の欠片もない問題児』とか言われてたぜ」

ブスリと口を尖らせる。

すると。カッツェは、何か心当たりでもあったのか、

「まぁ、マザーだってシスターだって、所詮、ただの人間だからな。たとえ子ども相手でも、

相性ってモノがあるんだろうさ」

そんなふうに言って、煙草を揉み消した。

それが、無駄話終了の合図にも思えて。リキは、

「ンじゃ、俺はこのまま第三格納庫へ回るから。あとは、よろしく」

そのまま踵《きびす》を返した。

案の定、カッツェがそれ以上リキを引き留めることはなかった。

リキはエレベーターに乗り込み、ドアが閉まると同時にどんよりとため息を洩らす。

(仲間《マリエ》……か)

まさか、今頃になって、そんなことを思い出す羽目になるとは……。リキ自身、思いもしなかった。

『ガーディアン』以外の過去《きおく》を共有する、たった八人きりの——仲間。

自分たちが、どこで生まれたのかも定かではない。

だが。物心ついたときにはもう、当然のことのように傍《そば》にいた。

天使や神話の幻獣たちが描かれた、明るい色調の部屋。

ふわふわのベッド。

とろとろとした甘い微睡《まどろ》み。

屈託のない笑顔と、お菓子の匂《にお》い。

何でもしてくれる、優しい世話役の女《ナニー》たち。

リキは、そこが、どこなのかも知らなかったが。別に、それを知りたいとも思わなかった。ある意味、そこは、充分に満ち足りた『世界』だったからだ。

ときどきやって来る男たちは、リキたちのことを『キャンディー』と呼んだ。

リキは、男たちが来る日が嫌いだった。

その日は皆、自分の部屋から出ることは許されなかったし。一日中、誰とも遊べなかったからだ。

それに。その日に限って、ナニーが持ってくるジュースはひどくまずくて、リキはいつも、気分が悪くなった。

それらのことが、いったい何を意味するのか……。自分たちが棲《す》んでいた『夢の世界』が突然崩壊して、リキは、初めて知った。

いや。

その真実を、否応なく突きつけられたのだ。

自分たちのことを、

『大人の欲望のために犠牲になった可哀想な子どもたち』

そんなふうに憐れむ『ガーディアン』の大人たちによって。

それまでの価値観《いきかた》を、真っ向から否定される――衝撃。

そのショックで、リキたちは立ち竦んでしまった。

『ここが、あなたたちの新しい家族なの』

『もう、何も心配しなくてもいいのよ』

その口裏で、自分たちを見る憐びんの眼差しが、

『在ったことを無かったことにはできない』

そう言って、自分たちを呪縛《じゅばく》し続けたのだ。

リキ自身が最年少だったせいなのか。それとも、カウンセリングと称する治療の一環のためか。フラッシュバックする記憶は、ところどころ霞《かすみ》がかかったようにひどく曖昧《あいまい》だったが。

それでも。

六歳から十一歳までをともに過ごしたブロック・メイトの顔さえ、ろくに覚えていないというのに。

なぜか……。『仲間』の名前と顔だけは、今でも、鮮明に思い出せる。

プラチナブロンドのアイレ。

ブルーブラックの髪。アイスブルーの眼をした、リーン。

燃えるような赤毛に、琥珀《こはく》色の瞳を持つシーラ。

混じり気のない白髪に、緋《ひ》色の眼をしたギル。

癖のないハニーブロンド、ブラウンの眼のヒース。

紫紺の髪と淡い紫色の瞳をした、ナリス。

銀髪に銀灰瞳《アッシュ・グレイ》のレビィン。

どの顔も、幼くて。記憶の中では、いつまで経っても年を取らない。

その『仲間』も、リキが十三歳になって『ガーディアン』を出るときには五人だけになってしまった。

将来、子どもを産むことができる『女』である少女たちは『ガーディアン』の共有財産となり。何事にも手厚いアフターケアがあって、多少精神的《こころ》に問題を抱えていても、どうにか『ガーディアン』という新しい『家族』に馴染むことはできたらしいが。レビィンが言うところの『彼女たちのオマケ』で一緒に引き取られた何の役にも立たない『男』で生き残れたのは、結局、仲間内ではリキ一人だけだった。

ヒースも。

ギルも。

レビィンも。

環境の激変に伴うプレッシャーとストレスで、あっけなく潰されてしまった。

何もかもが『平等』という名の規則で雁字搦《がんじがら》めに縛られた収容所《ガーディアン》では、自分たちは、あまりにも毛色の違いすぎた異端者であったのだろう。

アイレと同い年であったヒースは、

「僕みたいにならないで。ね？　約束して」

うっすらと涙を浮かべて、リキの手を握り締め。

レビィンはガラス玉のような眼をして、

「ぼく、もう……疲れちゃったよ」

ひび割れた声で、そう言い残し。

そして。

「僕は、絶対、ヒースたちみたいにはならないッ！」

そう言っていたギルは。やつれて、ひどく面変わりした顔で、

「ごめん……。ごめんね、リキ……。僕……がんばったんだけど……がんばった…ん、だけど
……」

リキにしがみついて泣いた。

嗚咽《おえつ》を噛んで。

声を殺して……。

自分にしがみついて泣きじゃくるギルの腕があまりにも細くて、痛々しくて。

その手をつかんだら、そのままポキリと折れてしまいそうで。

それが、怖くて……。

でも、何か言わずにはいられなくて。

だから、リキは、

「い…い……。もぉ、いい……。がんばらなくて……いい」

パサついて色の抜けたギルの髪を何度も撫《な》でてやった。

その翌日。

ギルが。まるで眠るように逝《い》ったと聞かされて、リキは……。声を殺して——哭《な》いた。

自分が『頑張らなくてもいい』と言ったから……。

だから。ギルは。プッツリ気力も尽きて死んでしまったのではないか?

そう思うと、心臓がキリキリ締めつけられるように心が痛くて。

痛くて……たまらなかった。

すると、ガイが。

「違うよ、リキ。リキは、ギルに『おやすみ』のキスをしてあげただけ。ギルはきっと、リキに『もう、おやすみしてもいいよ』…って、言ってほしかったんだよ。だから、うんと気持ちが楽になれたに決まってる。きっと、そうだよ」

リキを抱きしめてくれた。

一人欠け。

二人、欠け。

三人目の仲間が欠けて、最後にリキが残った。

果たして。それが『幸運《ラッキー》』と言えるのかどうかは、わからない。

何しろ。リキは、

『ガーディアン始まって以来の問題児《トラブルメーカー》』

——と呼ばれ。マザーやシスターたちの頭痛の種になっていたからだ。

それでも。

ある意味。

確かにリキは、強運ではあったのだろう。

欺瞞に満ちた嘘臭いだけの『楽園』でも、リキは、仲間以外で番《つが》うことのできる唯一の理解者――ガイに巡り会うことができたのだから。

そして。ガイとともに『ガーディアン』を去る、その前日。

アイレが、面会にやって来た。

「リキ。忘れないでね。大事な物をつかむ手はふたつしかないの。だから、どんなに大切な物でもみっつめは捨てるしかないのよ。一番大事なものは、絶対に離しちゃダメ。間違えないでね、リキ。一度捨てたものは二度と手に入らないんだから」

初潮が始まった少女は別棟に移されて、普段は、顔を見ることさえ叶《かな》わない。

それでも。旅立ちの日だから、特別に許されてアイレに逢《あ》えた。

久しぶりに見るアイレはずいぶんと大人びていて、一瞬、リキは双眸を見開いて固まってしまった。

少女が見違えるように眩しい『女』になった――からではない。

アイレからは、生々しい『牝《オンナ》』の匂いがしなかった。

綺麗なままの天使が孵《ふ》化《か》して、天女になった。ふと、そんな気がして……。

もしかして。

いつか……。

ギルたちと同じように。背中の翼を羽ばたかせて天上《そら》の彼方に翔んで行ってしまうのではないか。そんな錯覚に、囚《とら》われてしまいそうで。
そんなリキを、あの頃と同じようにやんわりと抱きしめて。アイレは言った。
『忘れないで』
『離さないで』
『間違えないで』
その一言一言が、胸の奥底に沁《し》み入るような真摯さで。
それだけで、もう——胸が詰まって。リキは何も言えなかった。
だから。
ただ、抱きしめた。
両の腕《かいな》で、きつく……。
そして。
それが。
アイレとの永遠の別れになった。

ベラン星系辺境ラオコーンまで、公認された公式ルートである『ジャンプ・ゲート』をフルスピードで翔ばして——三日。
その間、リキは。いつもと同じように、彼らを『商品』として扱った。余分な口はきかず、何事もそつなく、ルーチン・ワークは事務的に滞りなくこなした。

彼らの護役《もりやく》には専任のアンドロイドが付いて、艇内の日常生活においてリキたちの手を煩《わずら》わせることはほとんどなかったが。それでも、リキは嫌でも意識せずにはいられなかった。決して表面に表れることのない、欺瞞に満ちた醜悪さを。

種の起源も、生命の神秘も、今では《神》の領域ですらなくなってしまったが。その時代でさえ、運命《さだめ》の重さは誰にでも平等に分配されるわけではないのだ。

けれども。与えられた檻の中でしか生きる術《すべ》を知らぬ子羊《もの》は、ただ、在るがままを受け入れて流されることしかできないのだろう。

何も望まなければ、これ以上、絶望することもない――とでも言いたげに。


一週間後。

無事に『商品』を送り届けてミダスに戻ってきたリキは、アレクに誘われるままウサを晴らすように祝杯を上げ、深酒を重ねた。

そうでもしなければ、今回ばかりは、どうにも……気が滅入ってやりきれなかったのである。

その勢いを駆って、久しぶりにガイを訪ねた。

いや……。

酒でも入っていなければ、まともにガイの顔が見られそうにもなかった。それが、正しい。

カッツェの下で運び屋をすると決めて、ほどなく、リキは『バイソン』を抜けた。

最初はただの使い走りでも、カッツェの飼い犬ともなれば、片手間にできる仕事だとも思えなかったからだ。

ほかの運び屋の連中にもカッツェにも、そんなふうに見られるのは嫌だったし。どこまでやれるかわからないが、やると決めたからにはきっちりケジメをつけたかった。

もちろん、それなりに目に見える結果も出したかった。

そして。

それが、当面のリキの目標になった。

失敗することを怖れてはいなかった。

スラムの雑種には失うモノなど何もない。

先の見えないスラムで燻《くすぶ》っている今が、最悪のドン底なのだ。だったら。あとは、きっちり前を見据えて成り上がるだけ。

そう――思った。

実のところ。

リキは。

それなりに『バイソン』には愛着はあったが、その《頭《ヘッド》》であり続けることに関しては、これという特別な思い入れがあるわけではなかった。

当然。『ホット・クラックの覇者』などという肩書きには、何の未練もない。

失いたくなかったのは、自分が自分であることの尊厳。

護りたかったのは、ガイとの絆《きずな》。

突き詰めていってしまえば、それだけである。

自分から率先して勢力争いに首を突っ込もうとは思わなかったし。そのおこぼれを拾い喰いしようとも、隙《すき》があればその分け前を横からブン取ってやろうとも思わなかった。

ただ。降りかかる火の粉だけは、それなりに、きっちり払ってきただけのことで。

それが、まさか……。『バイソン』の名前がここまでのビッグ・ネームになってしまうことなど、予想もしていなかった。

本来、リキは、群れることが好きではない。

異端であることを望んでいるわけでも、孤高を気取るつもりもない。

自我を殺して他人と協調するのは苦手だったし、押しつけられた好意に振り回されるのは……もっと嫌いだった。

成り行き上『バイソン』の《頭》に納まって、やりたいことはやりたいようにやってきたが。

それは、もちろん、リキ一人ではできなかったことだ。

リキでは足りない部分をガイが埋めて。

ルークが支え。

シドが繋いで。

ノリスが、均《なら》す。

そうやって『バイソン』は強くなったのだとリキは思う。

だが、リキは。他人の思惑に踊らされてまで『バイソン』の名前に執着したいとは思わなかった。

自分の一存で『バイソン』を潰してしまいたかったわけでもない。

だから。

リキは。ここらへんが潮時だと思ったのだ。

自分が『バイソン』を抜けることで新しい《頭》が立つなら、それもよし。

それを機に、それぞれが別の《器》を見つけるもよし。

リキは、『バイソン』が『バイソン』であり続けることにこだわらなかった。

ただ。『バイソン』を抜けるというリキの決意は変わらなかっただけで。

しかし。

まさか。ガイたちまでが、あっさりと『バイソン』を切り捨ててしまうとは思いもしなかった。

たとえ『バイソン』が解散してしまっても、ガイとのペアリングまで解消してしまったわけではない。今のこの現状が、ほぼ、それに近いほど疎遠になってしまっているとしても、リキにとってガイが心の拠り所であることには変わりなかった。

『一番大事な物は、絶対、離しちゃダメ』

アイレの言葉が、耳にこびりついている。

ガイに何の相談もなく『運び屋』になった。

今更、自分の身勝手さを悔やむつもりはない。

が——リキは。ガイの温《ぬく》もりだけは失いたくなかった。

それでも。

大事な物をつかむ手はふたつしかない——のだ。

【自分が自分であることのプライド】

【ガイとの絆】

【やり甲斐《がい》のある仕事《夢》】

だとしたら、自分は、何を捨てればいいのだろう。

カッツェには、さももっともらしく大見得を切ったくせに。実際、それを考えると頭の芯がズクズク疼いて、いつまでたっても納得のいく答えは出ない。

『間違えないでね、リキ。一度捨てたものは二度と手に入らないんだから』

アイレの言葉が鋭い錐《きり》のように突き刺さる。

選ぶに選べないジレンマが、リキを呪縛する。

それならば。

いっそのこと、頭の芯にこびりついてしまった『ポリシー』を捨ててしまえばいいのではないか。そしたら、何も捨てなくてすむ。

そんなことまで考えて、リキは、束の間——自嘲する。

自分が自分であることをやめてしまったら、いったい、何が残るのか……と。

ガイは。突然、ふらついた足取りでやってきたリキの顔を見て、

「リキ……。何？　どうしたんだよ？」

さすがに眉はひそめたが。その身勝手さを責めるでなく、詰《なじ》るでもなく。唯一自由に寛げるベッドに我が物顔でリキが乗り上げても、

「えらくご機嫌だな。何か、いいことでもあったのか？」

相変わらずの居心地よさで迎えてくれた。

(いい……こと？)

まぁ、仕事はキッチリこなしたし。その分、金はたんまり入ってきた。

だから。ガイにも、スラムではめったにありつけない極上の幻覚酒《スタウト》の差し入れも持ってこれた。

だったら。

たぶん……『イイコト』には違いないのだろう。

なのに。

——気持ちよく酔えない。

頭の芯が、妙に醒めている。

身体の奥底が、妙に疼く。

その、なんとも知れない違和感が、

「ガイ。俺は——這い上がってみせるぜ。ここから……」

その言葉を吐かせたのかもしれない。

——いや。

それをガイにはっきり宣言することで、もう引き返せない自分自身を鼓舞したかっただけなのかもしれない。

三つのうちの、どれか。

選ぶに選べないそれを切り捨てることばかりを考えている自分が、嫌だったのかもしれない。

大事な物をつかめる手はふたつしかない。

ならば。

(だったら、俺は。三つめを無理やり切り捨てるんじゃなくて、口に銜《くわ》えて引き摺ってでも護りきってみせるさ)

そして、ガイは。

瞬間——言葉を探るように、リキを見つめてポソリと漏らしたのだった。

「そう、だな……」

耳慣れた穏やかな声音はそのままに、微《かす》かに唇の端を歪めて。

迂闊《うかつ》にもリキは、それに気付かなかった。

そして。

この先、それが毒のトゲのようにガイの心をゆったりと蝕《むしば》んでいくことなど、まるで知る由もなかった。

*****11

その男の髪は、特権階級——それも最上級のエリートの証《あかし》である豪奢《ごうしゃ》な黄金の長髪だった。

美神のごとき玲瓏《れいろう》な美貌《びぼう》は近寄りがたい品格を醸し出し。

その眼差しは、震えがくるほどに威圧的で。

しっとりと深みのあるクール・ボイスは酷薄な毒に満ち、容赦なくリキのプライドを滅多打ちにしてくれた。

リキにとっては、

『極悪最凶のクソ野郎』

——としか言いようのない相手である。

その男がタナグラのブロンディーであること以外、リキは、何も知らない。男の名前すら……。

もちろん。その気になって調べてみれば男のプロフィールくらい、案外、簡単にわかってしまうものなのかもしれないが。今更、知りたいとも思わなかった。

ただの負け惜しみではない。

この上、名前まで知ってしまったら、よけいに男の幻に惑わされてしまいそうで。本当は、そんなことまで考えてしまう自分が無性に腹立たしかったのだ。

ブラック・マーケットの中で才気を煥発《かんぱつ》させるリキにとって、あの夜の記憶は屈辱にまみれた唯一の汚点であった。

二度と、思い出したくもない。

なのに。

仕事の合い間の、緊張の糸がホッ…と緩んだとき。なぜか……あの怜悧な美貌が脳裏の端を掠《かす》めていくのだ。

まるで、何かの刷り込みが入ったように不意に現れては。リキの神経をチクチクと引っ掻《か》き回す。

抜くに抜けない、小さな毒針《トゲ》。

痛みは薄れても、膿《う》んで熱をもった凝《しこ》りは消えない。

そのたびに、リキは半ば無意識にズボンのポケットをまさぐってはキー・ホルダーの根元を握り締め、奥歯を軋《きし》らせる。

指先にあるのは。あの日、男が去り際に、

『無理やり押しつけられた口止め料の釣り』

だと言って、投げて寄越した曰《いわ》く付きのゴールド・コインだった。

そんな、最悪にケタクソの悪いコインなどドブに投げ捨ててやろうか。……とも、思ったのだが。なぜか、いまだに捨てきれずにいる。

いっそのこと。ザックに換金してもらおうか――と、考えたこともある。

だが。いまだかつて見たこともないそれが、いったい、どのくらいの値打ちがあるのかもわからなかったし。

ましてや。目利きのザックに、その出所《でどころ》をしつこく詮索《せんさく》されるのも嫌で。結局、何となく手放すきっかけを失ってしまった。

いい思いをした戦利品なら別だが。最低最悪な証でしかないそれを、こんなふうに、いつも身に付けている自分の気持ちが――わからない。

そんなとき。

思いがけなくも『運び屋』という幸運《ラッキー》をつかんで、カッツェと出逢《であ》い。あえて、頰《ほお》の傷痕《きずあと》を曝《さら》している彼の生き様を目の当たりにして。リキは。その屈辱のコインも自分では気が付かなかっただけで、やはり、世間知らずのバカなガキでしかなかった『戒め』のつもりだったのだろうかと。ふと、そんなふうに思えたこともあった。

が――何だか、それもただのこじつけのような気がして……。

（…ったく、ざまぁねーよな）

内心、舌打ちまじりにそれを弄《いじ》りながら、なにげに目の前にかざしてみる。

何の変哲もない……というには、見慣れない紋様の輝き《ゴールド》がやけに眩《まぶ》しい。

（なんかの紋章……だったりすんのか？）

そういえば。こんなにしげしげと見入るのも初めてのような気がして、リキは、どっぷりとため息を洩《も》らした。

すると。

今、現在。運び屋としての相棒《バディー》であるアレクがどっかりと椅子《いす》に腰を下ろしざま、

「へぇー、こりゃまた……すげーモンを持ってんな」

すっぽり双眼を覆った遮光眼鏡《サングラス》越しに、リキの手元を覗《のぞ》き込んだ。

「どうしたんだ、それ」

いつものように、リキをかまって楽しんでいるわけではなく。珍しくも、純粋に驚いているらしい。

——と、言っても。サングラスに隠された双眸《そうぼう》の表情までは読めないので、声のトーンから想像するしかないのだが。

はっきり言って。リキは。サングラス越しの視線というのが嫌いだった。

そいつが、どこを——何を見ているのかわからないし。こちらの感情は筒抜けになっているのに、相手の表情《思考》がまったく読めないのもイヤだった。

それが自分の相棒であれば、なおさらだった。

カッツェからアレクとバディーを組むように言われたとき。別に相手が誰であれ、リキには何の異存もなかったが。唯一気に入らなかったのが、アレクのサングラス越しの視線だった。

視《み》られているという感触はあるのに、相手《アレク》の視線が見えない。苛《いら》ついてしょうがなかった。

身体的欠陥でもあって、どうしてもサングラスが不可欠であるのなら別だが。そうでないのなら、顔を突き合わせて話をするときくらいはちゃんと相手の目を視て話したい。そう、思った。

だから。リキは、はっきりとそれを口にした。

「アレク。あんたのそのアイシェード・グラスは、ただのファッションか？　それとも、視力に問題があっての必需品なのか……どっち？」

この先。相棒としてうまくやっていくのなら、気掛かりなことは有耶無耶《うやむや》にしないで、さっさと解消しておきたいと思ったからだ。

「なんで……そういうことを聞くんだ？」

「どっち見てるかわからないグラス越しの視線ってのは、好きじゃない。それが必需品ならしょうがねーけど、そうじゃないなら、俺は、あんたとはちゃんと目線をあわせて話がしたい」

アレクは、束の間——黙り込んで。わずかに、唇の端で笑った。

「俺がカリン星人なのは……知ってるか？」

「——知らない」

「そうだよなぁ。でなきゃ、そんな爆弾発言カマしたりしないだろうし」

瞬間。リキは、わずかに息を呑《の》む。もしかして、知らずにアレクの地雷を踏んでしまったのかと。

だが。今更、口にしてしまった言葉をなかったことにしてしまうわけにもいかず。だったら、いっそ、開き直ってしまうしかない。

「あんたがカリン星人だったら、なんか……マズイのか？」

「いや。俺の目を見たいなんて、度胸あるなぁ……とか思って」

言いながら、アレクは。テーブル越しに、ずい――と身を乗り出す。

「ホントに、見たいのか？」

目と鼻の先で、そう問われて。

ビビるより先に、俄然《がぜん》、興味が湧《わ》く。

（カリン星人の目って……なんか特別の秘密でもあんのか？）

濃いサングラスの奥に隠された――双眸。

（まさか……いきなり石化するとか、そういうんじゃねーよな）

どこだかの、古典神話にそんな話があったような……。

「もったいぶってないで、さっさと、それ……外せよ」

すると。アレクは、乗り出した身体を不意に元に戻して、面白くもなさそうに鼻を鳴らした。

「あー……これだから、ガキはなぁ。こういう場合のリアクションは、もっと、こう……ゾクゾクっとか、ヒクヒクっとか……あるだろうが。まっ、おまえにそんな色気を期待した俺が間違ってたよな」

束の間。

リキは、呆気《あっけ》に取られ。

次いで——顔面から、カッ…と火を噴いた。

「アレクッ」

——と、アレクは。いきなりサングラスを外すと、

「はいはい……。お待たせ」

片頬で笑って、その目できっちりリキを見据《みす》えた。

——瞬間。

「……ッ！」

リキは、思わず声を呑んだ。

縦長の虹彩が異彩を放つ、緋色の双眸《レッド・アイズ》。

その、真紅の鮮血を凝縮してはめ込んだような対の宝玉に、リキは、在りし日のギルの面影を見たような気がして。胸の奥がズキリ——とした。


ゴメンネ、りき。

僕……ガンバッタンダケド。

ガンバッタ……ンダケド………。

——ゴメンネ。


ともすれば。そんなか細い幻聴《こえ》まで聴こえてきて……。リキは、零《こぼ》れ落ちんばかりに大きく

黒瞳《め》を見開いて、アレクの双眸を凝視したのだった。

そんなことがあって。

サングラス越しの視線は相変わらず苦手なリキだったが。それでも。アレクの緋《ひ》色の眼が遮《しゃ》光《こう》グラスに隠されていることに、ちょっとだけ、ほっとしている自分に気付いて。リキは、らしくもない感傷を引き摺《ず》っている暇などないのだと、自分に言い聞かせるのだった。

もっとも。

今のリキにしてみれば。

どうにも掴《つか》み処《どころ》のないお気楽主義者――を地で行くような、いつも飄《ひょう》然《ぜん》とした軽口を叩《たた》くアレクがやけに真剣に驚いているということのほうが、よほど驚きだったが。

「スゴイって……何が？」

「何って――それ、アウロラ・コインだろうがよ？」

「アウロラ……？」

聞き覚えのないその名称《なまえ》にリキが黒瞳を眇《すが》めると。アレクは、

「なんだ。ホントに知らないのか？」

サングラス越しに、リキの顔とコインをじろじろと見比べてでもいるのだろう。束の間、口をつぐんで、

「これだからなぁ、まったく」

これ見よがしの盛大なため息を吐いた。

（なんだよ。これって、ただのコインじゃねーのか？）

「あー、まぁ……。俺だって本物を見るのは初めてだから、人のことをあれこれ言えた義理じゃないけどな。それに、お互い、一生縁のない世界だろうし」

「だから、つまり、何なんだよ？」

思わせぶりなアレクの口振りに苛ついて、リキは語尾を跳ね上げる。

「アウロラ・コインってのは、ペット硬貨。つまり、ペット専用の小遣い銭のことだ」

刹那《せつな》。

「……ッ！」

リキの双眸が大きく見開かれる。

（ペット……硬貨、だとぉ……）

思いがけないというより、まったく頭にもなかったその言葉に脳味噌《のうみそ》までガシガシ揺さぶられたような気がして。リキは、一瞬、目の前が真っ白になった。

いつもは、不遜《ふそん》な態度が顔面に貼《は》りついているかのような、可愛《かわい》げの欠片《かけら》もないリキのそんな顔つきがよほど物珍しかったのか。

それとも。自分が口にした言葉に過剰とも言える反応を示したリキの顔つきが、予想外の驚きだったのか。

束の間。アレクは、まじまじと目を瞠《みは》り。

そして。

何を思ったのか……。唇の端をわずかに和らげた。

「…って言っても、使える奴も場所も限定されてる特殊なコインだから、市場での通貨価値はまったくないけどな。だから、普通、ペット硬貨は『コイン』じゃなくて『メダル』…って呼ばれてるわけよ」

アレクの口から繰り出される連続パンチにしたたか顔面を撲《は》られて、

(…んの、ヤローぉ……)

リキの顔から、しんなりと色が抜ける。

ペット硬貨。

この世界に、そんな物が存在することすら知らなかった。

「要するに——擬似《にせ》コインか?」

抑えても、抑えきれずに声が尖《とが》る。

「いや。そういうわけでもない」

「なんで? 通貨《カネ》としてはまったく価値のないコインなんだろ? そんなモンの、何が——どこが凄《すご》いんだよ?」

半ば八つ当たりぎみにアレクを睨《ね》めつける眦《まなじり》には、くっきりとした険がある。

すると。

アレクは、ひょいと肩を竦《すく》めて。

「通貨《カネ》としては使えないけど、ペットを飼えるくらいには金持ちっていうステータス・シンボルの証としての付加価値があるからな」

さらりと言ってのけた。

(ステータス・シンボルとしての……付加価値?)

今のリキにとっては胸糞《むなくそ》が悪くなる台詞《せりふ》だった。

『富』と『権力』を具現化したようなあの男の顔が嫌でも浮かんできて、口の中がやたら——苦い。

(まんま……じゃねーかよ)

思わず、唇を歪《ゆが》めずにはいられないほどに。

「それなりに、デザインにも凝ってるっていうし。好事家《マニア》の間じゃ、モノによりけりだが、けっこうな値段で取り引きされてるらしいぜ」

「ケッ。バッカくせー……」

吐き捨てる言葉に、嫌悪がこもる。

ペットの小遣い銭のために、わざわざ金にならない専用の硬貨を造るという金銭感覚がリキには理解できない。

そんなものを手に入れるために、無駄金を使う奴らの腐った神経も。

——と。

アレクは、そんなリキの内心のつぶやきが聞こえたように、

「金ってのは、結局、回り回って金持ちの元に集まるようにできてんだよ。道楽のひとつもで

きなきゃ、真の金持ちとは言えない……って、な」

　片頬で笑った。

「――で。おまえが持ってるそれは『アウロラ・コイン』……つって、エオスで飼われてるペット専用だ。ほとんど外には出回らないっていう、マニア垂涎《すいぜん》のやつ。それをどこで手に入れたのかはしらねーが、ネット・オークションにかけると買い手が殺到するのは間違いなしだな。もしかしたら、けっこうな小遣い稼ぎになるかもよ？」

「エオスって……タナグラの？」

「おぅ。タナグラのエリート様の居住区になってるパレス・タワー。ほら、ここに刻印されてるこの紋様がタナグラの旗章と同じデザインなんだ。しかも、純度九十九パーセントのラリアット金貨らしい。マニアでなくったって、目の色が変わっちまうぜ」

　アウロラ・コインなるものが、どれほどの希少価値があるのか。アレクは立て板に水のごとく、あれこれと語ってくれるが。

（あの……クソヤローぉ、ふざけやがってぇぇぇ……）

　怒り心頭《しんとう》に発したリキの耳には、その言葉の半分も届いていない。

　さんざん人を嬲《なぶ》ってオモチャにし、挙げ句の果てに、口止め料の釣りだとヌカして投げて寄越したのが通貨としては何の価値もないただの記章《メダル》だと知って。

（どこまで人をコケにすりゃあ気が済むんだッ）

　リキの憤怒は煮えたぎる。

(くっそぉ……)

『スラムの雑種《クズ》をタナグラのペット並みに扱ってやろうというのだ。それでは……不足か？』

頭の芯《しん》にまでこびりついたあの台詞《ことば》さえもが、冷え冷えとした嘲笑《ちょうしょう》を孕《はら》んでフラッシュバックする。

(クソッ)

嚙《か》み締める唇が引き攣《つ》れた。

(――クソッ)

吐き捨てる罵倒《ばとう》で舌が灼《や》けた。

もしも、これをザックのところで換金していたら、とんでもない恥をかくところだったと思うと。

(クッソォォォォオッ！)

脳味噌までグツグツ沸騰しそうだった。

(ヤロー……覚えてろよ。今度どこかで逢ったら、絶対、三倍返しの返り討《う》ちにしてやるからなぁぁッ)

そんな二度目の奇跡など、天と地がひっくり返りでもしない限りありえない――とは、思いながら。

それでも。

リキは。

硬く握り締めた拳《こぶし》を震わせて吠《ほ》えずにはいられなかった。

そして、アレクは。

何がなんだか……まったくわけがわからないが。話の途中からいきなり黙り込んでしまったリキが、突然、険しい顔つきで怒気を噴き上げるのを目の当たりにして。さすがに、言葉《いき》を呑んだ。

（おい、おい……。仕事をおっぱじめる前に、いきなり戦闘《バトル》モードは勘弁してくれよぉ）

内心、深々とため息を洩らしながら。アレクは、いったい、どこでリキの地雷を踏んでしまったのかと、頭を抱えたくなってしまった。

約三ヵ月ほど前。

ボスであるカッツェから、誰にも懐かないようなきつい黒瞳《め》をしたスラム上がりの少年《ガキ》と相棒《バディ》を組むように言われたとき。アレクは、

（はぁぁぁ……。俺が貧乏籤《くじ》の大当たりかよぉ）

その場でどっぷり、とてつもなく重いため息を吐いた。

いずれ、誰かにそのお鉢が回ってくるだろう……とは思っていたが。よりにもよって、自分がそれを引き当てることになるとは思わなかった。

いや……。

どちらかといえば。間違っても、自分にその役が回ってくることはないだろうと、高を括《くく》っていたくらいだ。

リキが『糞溜《くそだめ》のクズ』呼ばわりをされる異邦人の最右翼ならば、惑星カリン出身のアレクも、それに似たようなものかもしれない。

精神感応《エムパス》能力に長《た》けたカリン星人は癒療者《ヒーラー》として優れた種族だが、その能力ゆえに、他者は、彼らに触れられると自分の心の奥底まで覗かれてしまうのではないかと恐れ、生理的に嫌悪する者も多い。

特に。縦長の虹彩《こうさい》を持つ緋色の双眸は、その出自を隠せるものではなく。普段のアレクもプライベートな時間は別にして、まったく双眸が見えない遮光グラスを欠かさない。

それは自分の素性を知られたくない——というよりはむしろ、

『カリン星人の赤目は災厄をもたらす邪眼』

『カリン星人に見つめられると精気を吸い取られて死ぬ』

そんな流言飛語がもたらす無用なトラブルを避けるための手段にしかすぎなかったが。どんな秘密も、どこかしらが綻《ほころ》びて噂《うわさ》になって流れ出すものなのだろう。

幸か、不幸か。自分を遠巻きにする視線が孕む様々な感情のうねりを感じないでいられるほど、アレクは鈍感ではなかったし。斜に構えてシニカルに世間を切って捨てるには、まだ、人生に未練があった。

それに。周囲の思惑がどうであれ、アレクはただのポーズではなく、泰然自若というには軽すぎるお気楽主義者であることが嫌いではなかった。

物事は為《な》るようにしか為らない。

それが、アレクの持論でもあった。

——のだが。

さすがに、今回ばかりはため息の嵐《あらし》であった。

『なぜ?』

『どうして?』

よりにもよって。あのガキの相棒が自分でなければならないのだろうか、と思うと。最後の悪足掻《わるあが》きと知りながら、納まりの悪い——まるで獅子《しし》の鬣《たてがみ》のような赤銅色の髪をガシガシ掻き毟《むし》って、

「ボス。俺、ガキのお守は苦手なんですけど」

なにげに拒否権を行使すると。

案の定——と言うべきか、

「心配するな。あれは、ただのガキじゃない。退屈だけはしないと思うが?」

あっさり、寄り切られてしまった。

退屈しないガキ。

それは……。

つまり。

大したトラブルメーカーだと、言っているのも同然ではないか。

嬉《うれ》しかろうはずがない。

厄介《やっかい》事に自ら首を突っ込んで小躍りするほど、アレクは、人生に退屈しているわけではないのだ。

ほかの連中は他人事《ひとごと》だと思って、

「おう、頑張れよ」

「いやぁ……これで、枕を高くして眠れるぜ」

「ビシビシ扱《こ》き使ってやれよ、アレク」

「あんまり構いすぎて壊すなよぉ」

言いたい放題だったが。実際の話、リキに限らず、自分が誰かとバディーを組むことなど思いもよらなかったのだ。

自分は一匹狼《いっぴきおおかみ》が性に合っている。

——などと、孤高の戦士を気取るつもりは更々ないが。あえて、自分から爆弾を抱え込みたいとも思わなかった。

自分とリキでは個性が相殺されるどころか、下手をすれば、派手な悪目立ちの二乗だ。

それは、カッツェにもわかっているはずなのに。

(なんで、今更……)

一度決定されたことは覆るはずがないことはわかっていても、まだグズグズと愚痴りたくなってしまった。

そして。

アレクは。

その後、自分の読みがまだまだ甘かったことを知る羽目になる。

大したトラブルメーカーどころか。あれは、まさに、磁気嵐《じきあらし》の『目』であったのだ。

マーケットには、二通りの『運び屋』がいる。

ミダスの階級制度によって生まれたときから組織に組み込まれた『血族《メジスト》』と、別枠で雇われた『傭兵《アトス》』だ。

「マーケットの忠実な下僕《げぼく》」

と、揶揄《やゆ》されるほど上司の命令には絶対服従の規律が徹底している『メジスト』は、やれと言われたことは殺しであろうが何であろうが忠実にソツなくこなすが。その分、いざとなったら応用が利かないという決定的な弱点があった。

マニュアルのあるルーチン・ワークは得意だが、命令されることに慣れきっていて、自分で考え判断して行動を決定することができないのだ。

その対極にあるのが『アトス』で。彼らを縛るのは忠節ではなく『契約』のみで、マーケットに籍を置いていた。

当然。人種も出自《しゆつじ》も様々で、その多くは自分の才覚と度胸で伸し上がってきたという強烈な自負があり、謂《い》わば、一匹狼の気質が強かった。

自分が対等と認めた人物に対しては理由もなく牙《きば》を剝《む》いたりはしないが、仕事ができる分、プライドが高くて扱いづらい。

必然的に。彼らを束ねるボスにも、それなりの器量が試されるということだった。

彼らは。自分たちのボスが『糞溜のクズ』呼ばわりをされている雑種のスラム上がりだと知っても、それなりの好奇心はあったが、偏見で凝り固まった『メジスト』たちのように意味もなく侮蔑《ぶべつ》の眼差しを向けたりはしなかった。

自分たちのボスがどれほど有能な人間であるのか、彼らは知っている。決して『メジスト』ごときにナメられていい存在ではないことを。

だからこそ。

「スラム上がりの雑種の飼い犬」

などと、あからさまに陰口を叩かれても歯牙《しが》にもかけなかった。

賢い犬は無駄吠えをしない。静かに、牙を磨《と》ぎ澄ますだけ。

そんなことも理解できない駄犬レベルに自分を貶《おとし》める必要はない。

ときには、現地調達の狩り人《ハンター》としての役割を担うこともある『運び屋』の技量は、自分たちの方がはるかに優《まさ》る。それは、誰の目にも一目瞭然《いちもくりょうぜん》であったからだ。

そんなカッツェが、突然リキを連れて来て。『アトス』のメンバーに加える――と言い出したときには、いったい、何の冗談かと思った。

皆、一瞬――呆気に取られ。

誰ともなく、顔を見合わせ。

そして。誰もが一様に苦笑を浮かべて、肩を竦めた。

――いや。

伊達《だて》や酔狂でカッツェがそんなことを口にするはずがないことは、皆が知ってはいたが。誰が、どこから見ても尻《しり》の青い少年《ガキ》に、ハードでタイトなマーケットの運び屋が務まるとは思えなかった。

だが。カッツェは皆に『お伺い』を立てているわけではなく、すでに決定済みのことを報告しているにすぎない。

だから、アレクたちは。何らかの理由で、その少年の処遇に困り果てた『上』の連中が、その責任を自分たちのボスに押しつけたのではないかと思った。

出る杭《くい》は打たれる――のは、世の常識だが。

デキすぎる男は嫌われて、疎まれる。

それがスラム上がりの雑種ともなれば、嫉妬《しっと》は簡単に憎しみにすり替わるだろうことは容易に想像できた。

いくら階級制度の戒律が厳しくとも、人間の我欲には果てが無い。

その気になれば、抜け道はどこにでもある。

そんな誰かの不始末の貧乏籤を引かされたのではないかと、思ったのだ。

ミダス市民であるＩＤ証明は生まれてすぐに耳に穿《うが》たれる生体チップで、それを取り除くには耳を切り落とすしかないと言われている。リキと名乗る少年には、その『ＰＡＭ』がなかった。

少年を取り巻く事情が、いったい、どういうものであるのか。それなりに興味も関心もあったが。そのプライベートまで深く詮索する気もない。

『契約』には相互の信頼と、それなりの報酬が不可欠だが。ときには、適度な無関心であることも必要だった。

見ざる。

言わざる。

聞かざる。

金で雇われた『アトス』のメンバーたちは、臨機応変に、それなりに仲間とうまく付き合っていく術《すべ》を心得ていた。

それでも。今まで何の過不足《問題》もない状態で、いきなりやってきた年若い闖入者《ちんにゅうしゃ》に、彼らは正直……困惑した。

適当に用事を言いつけて『お客様』扱いに徹すればいいのか。

それとも。『アトス』始まって以来の『最年少の下っ端』――なのか。

カッツェは、

「使い物になるように、遠慮なくビシビシしごいてやってほしい」

とは、言わなかった。ただ、

「リキだ。今日から、おまえたちの仲間になる」

それだけ、だった。

メンバーに加えると宣言しつつも、運び屋としての経験を積ませようという気がないのか。あるいは、何か別の思惑があるのか。

新参者の仕事といえば雑用のデスクワークが主で、カッツェは誰のサポートにも付けようとしなかった。

まるで、らしくない。

リキに対するカッツェの態度は、一言で言ってしまえばそれに尽きる。

横目でそれを傍観しつつ、彼らは。どういう経緯があるのかは知らないが、要するに今回のことは、

『厄介者を押しつけられての飼い殺し』

——なのだと思った。

だったら、それなりの扱いをするだけのことだった。

ところが。そうした彼らの思惑を、リキ自身が、不遜なほどの存在感でもってブチ破ってしまった。

確かに。年長者に対する礼儀は、まるでなってはいなかったが。彼は、ただ傲慢《ごうまん》なだけの鼻持ちならないガキではなかった。

カッツェの腹積もりがどうであれ、彼は彼なりに、一日でも早くマーケットに馴染《なじ》もうと必

死だったのだろう。

与えられたことだけでは満足せず、その次のステップを求める向上心の貪欲《どんよく》さには目を瞠るものがあった。

それは。彼らがとうに失ってしまった、ある種——純粋で、怖いもの知らずな情熱。ひたすら前を見据えて突き進んでいくための若々しいほとばしり——だったかもしれない。

彼は、自分の知らない知識を得ることに非常に熱心だった。

『聞くは一時の恥、無知は一生の恥』

だとばかりに、誰かれ見境なく捕まえては答えを求めて質問責めにした。

使えるモノは何でも使って、自分の肥やしにする。その根性の逞《たくま》しさは、いっそ見事なほどだった。

初めはそんな彼を鬱陶《うっとう》しがっていた連中も、このままおとなしく飼い殺しにされるつもりなど微塵《みじん》もないらしいその貪欲さに、呆《あき》れ。驚き。やがては、目を細めた。

現状に甘んじることなく、自分の未来は自分で切り開く。

その心意気を良しと思いこそすれ、誰もバカにしたりなどしなかった。

躓《つまず》いても。

ミスっても。

そこで、簡単にあきらめて投げ出してしまわない。

そんな、やる気のある奴を使わない手はなかった。

飼い殺しで終わるか。

──否か。

それは他人が押しつけるのではなく、本人が決めればいい。

そう思わせるだけの意気込みを、リキは、彼らの目の前で実践してみせたのだ。

その頃にはもう、『アトス』のメンバー……いや『メジスト』ばかりではなく、おそらくマーケット中の誰もがリキの素性を知っていただろうが。そのことでリキを見る目が露骨に変容しても、リキ自身はなんら変わるところはなかった。それはもう、見事《あっぱれ》なほどに。

『バカな奴らにかまっている暇はない』

態度《め》は、口以上にモノを語る。

無用なトラブルを避けるでなく、口には出さずとも正面からきっちり喧嘩《けんか》を吹っかけているのも同然。

世慣れすぎたアレクの目から見れば、そこらへんが、ガキの片意地に見えなくもなかったが。身にまとわりついて離れない偏見と差別に曝され続けてきたであろうリキの、それが譲れないプライドなのだろうと思うと。その片意地を、

「やっぱり、ガキだよなぁ」

などと、したり顔をして笑う気にもなれなかった。

片意地であろうが、なかろうが。『自分』という核を持っている者は、打たれ強い。

ちょっとやそっとでは、揺らがない信念。

アレクは、そこに、まるで似通ったところのないカッツェとリキの奇妙な類似点《ルーツ》を見たような気がした。

しかし。

当然——と言うべきか。それを黙殺できないバカな奴らはどこにでもいるもので。

一部先走った『メジスト』の荒くれどもと、派手な乱闘騒ぎになったとき。アレクたちは、妙に喧嘩慣れした——というには過ぎるほどのリキの思わぬ剛腕ぶりを見せつけられて、唖然《あぜん》としたのだった。

ブチキレる寸前の、あの顔つき……。

切れ上がった黒瞳が殺気を込めて相手を見据える、あの、ゾクゾクするような艶気《いろけ》はどうだ。

普段は無愛想なだけのガキっぽさがツルリと剝けて、別の人格へと豹変《ひょうへん》する様を見せつけられたようで。

いったい、こいつは何者なのか——と。思わずゴクリと生唾《なまつば》を呑み込んだのは、おそらく、アレク一人ではないだろう。

速い。

——キレる。

————しなる。

殴る。

——蹴《け》る。

——ブチのめす。

呻《うめ》く。

——唸《うな》る。

——吠える。

そこにいるのは。凶暴な牙を隠し持った、恐ろしく魅惑的な獣だった。

野次《やじ》って。

揶揄って。

高みの見物を決め込んだ者たちも。いつのまにか、声を呑んで沈黙してしまった。

それを当然のことのように受けとめていたのは、おそらく、カッツェただ一人であったろう。

そのとき。

アレクは。

カッツェが自分たちに何も告げなかったのは、リキをマーケットで飼い殺しにするためではなく。本当は『獅子は千尋の谷に我が子を突き落とす』ごとく、リキの力量を見極めるために、あえて、何の条件付けもせずに成り行きにまかせたのではないか——と思ったほどだ。

もしかして。

カッツェは。

同じ境遇のリキを拾ってきて、将来の自分の右腕として育てたいと考えているのではないか
——と。

そして。まるでその事件《こと》がきっかけのように、リキとの相棒《バディー》の話を持ち出され、アレクは、

（なんだ。やっぱり、そういうことなのかよ？）

二重の意味で、どっぷり、深々とため息を吐いたのだった。

一見、自分のことすら冷然と突き放したように見えるカッツェも、やはり、心のどこかで身内意識めいた絆《モノ》を求めていたのだろうかと思うと。なぜか、不意に裏切られたような気にもなって。

そして。そんなことを思って、柄にもなく感傷的になっている自分が、何やらひどく滑稽《こっけい》にも思えて……。

だから。

アレクは。

出過ぎたことだとは承知の上で、問わずにはいられなかったのだ。

「それは……。運び屋としての基本をみっちり仕込んで即戦力に鍛え上げろということですか？」

「いや。その必要はない。俺は、あいつを運び屋のプロにするつもりはないからな」

それは、つまり……。

これから、将来を見据えていろいろ経験を積ませたい。そういうことなのだろう。

せっかく見つけ出したダイヤの原石も、綺麗《きれい》に磨いて光らせないうちに他人に潰《つぶ》されてはたまらない。そんなカッツェの思惑が透けて見えてくるようで、知らず、唇の端が吊《つ》り上がった。

「じゃあ……。これから先、誰かがあいつの地雷を踏んでしまわないように、常にそばにくっついて目を光らせていろとでも？」

遮光グラスでまったく表情が読めないアレクの皮肉にも、カッツェは、顔色ひとつ変えない。

「そんな無駄なことはしなくていい」

淡々と、だが——きっぱりと、カッツェが言い切る。

「あいつは、どうやら、生粋の《バジュラ》らしいからな」

「バジュラ……？」

聞き慣れないその言葉をアレクがおうむ返しにつぶやくと、カッツェは、二本目の煙草《たばこ》に火をつけた。

デキすぎる男の、唯一の悪癖。カッツェの吸っている煙草からは、カリン星人のアレクでなければ嗅《か》ぎ分けられないほどの微量な麻薬《アムカ》の匂《にお》いがした。

中毒性がない、その手の物では極上品——とはいえ。人前で吸うには、あまり誉められた代物ではない。

——が。それでも、吸わずにはいられないカッツェの気持ちもわかる。

運び屋の元締めは、日々、激務だ。

同じマーケットの飼い犬同士とはいえ、『メジスト』と『アトス』の反目は、すでに天敵に近い。その上、リキという諸刃《もろは》の剣を抱え込んでいてはさぞかし胃が痛かろう。

「元々は、神話《ヴィラ・ナバス》の中に出てくる漆黒の獣のことなんだが。そいつは人の魂を狩ると怖れられている魔獣なのに、えらく綺麗な生き物で……。宝玉をはめ込んだような艶やかな黒い瞳にフラフラと魅入《みい》られてしまう奴は、後を絶たないらしい」

カッツェの言わんとすることが、アレクにもわかるような気がした。

「つまり——当人にまったくその気はなくても、何やかやと理由をこじつけて絡んでくる連中は絶えない。そういうことですか?」

あえて言葉にすると、身も蓋《ふた》もないような気もするが。確かに。あの対の黒曜石は妖《あや》しい魅力に満ちている。

深淵《しんえん》の縁の冷たい静寂というよりはむしろ、グツグツ煮えたぎるような黒いマグマを思わせるあの双眼の輝きを自分だけのものにできるのなら、たとえ、殺気を孕んだきつい眼光であってもかまわない。そう思いたくなるのかもしれない。

現に、あの乱闘騒ぎでアレクも呑まれたクチだ。

だからといって。それで、リキを見る目がまるっきり変わってしまったというわけではないが。自制の鎧《よろい》を重ね着してしっかりロックしよう——ぐらいの気にはなった。

「スラムは、牡《おとこ》だらけの歪《いびつ》な世界だからな。毛色の変わった奴は疎外されるか、狩られるか、そのどちらかだ」

「それが嫌なら、叩きのめすしかない?」

「買った喧嘩は倍返しが当然。ついでに、肉も骨も……というのがスラムの常識だしな」

リキの、体型にはそぐわないあの剛腕ぶりは、そうやって培われたものなのだろうと思うと。

アレクは、深々とため息を洩らさずにはいられなかった。

弱肉強食が常識の世界では、身も心もタフでなければ生き残れない。

それがただの絵空事ではないことは、カッツェを見ていればよくわかる。ミダスのトップ・クラスのホストと比べて遜色《そんしょく》のない美貌では、さぞや、苦労——いや、生きにくかったことだろう。

『力』の論理が公然と罷《まか》り通る世界では、美しさは征服欲の餌食《ターゲット》でしかない。

戦うか。

媚《こ》びるか。

踏みにじられるか。

カッツェが、どういう経緯でマーケットのブローカーまで成り上がったのかは知らないが。

あの頰の傷痕はそういった類《たぐい》の名残《なご》りではないかと、もっぱらの噂だった。

それをそのままに曝してことさらにスカーフェイスを気取るのも、若輩者と侮《あなど》られたくないという意志の表れ——というよりはむしろ、周囲へ向けての威嚇《いかく》という名の自衛手段ではないかと。

もちろん。カッツェは黙して語らないので、真実はいつまでたっても『噂』の域を出ないが。

ただ容姿の美しさを言うのであれば、確かに、いまだにガキっぽさの抜け切れない青臭さを引き摺っているリキよりも、もっとずっと綺麗な者はあまたいるだろう。

だが。アレクには、カッツェがリキを『バジュラ』という稀獣《きじゅう》にたとえたわけが決して大袈《おおげ》姿《さ》なものではないのだとわかる。

何の手入れもしていないだろう黒髪は艶やかで、嫌がられるのは承知の上で、ついついその手触りを確かめてみたくはなるし。

きつい輝きを放つ漆黒の瞳は、黒曜石よりももっと価値のある宝玉であった。

しなりのきいた肢体の小気味よさは格別で、その気性の苛烈《かれつ》さとは裏腹の細腰に思わず目を奪われる不徳の輩《やから》もいるだろう。

けれども。リキが人目を魅《ひ》くのは容姿《パーツ》の善し悪しではなく、その希有な存在感なのだった。

「場所は違っても、そういうフェロモンは相変わらずの垂れ流し……らしい。そんなものを振り撒《ま》いているという自覚のない本人としては、まったくもって不本意の極みだろうがな」

あえて『フェロモン』と言い切ったカッツェの口調には、どこか苦いものがある。

それだとて。『男殺し《おとこタラ》』との含みを持たせなかっただけ、まだマシなのかもしれない。

性的嗜好《しこう》に関係なく、リキは、牡《おとこ》を挑発する。

これが女であれば、その魅力でもって『傾国の美女』だの『魔性の女』とでも呼ばれもするのだろうが。誰にも懐かない野良《のら》猫のように毛を逆立てているリキにとっては、そんなたとえですら不快であることは違いない。

スラムの雑種が物珍しいのではない。

リキの場合。身の内から放たれる強烈な存在感に目を奪われて、よくも悪くも、心がザワザワと疼《うず》きしぶるのだ。

まるで、自分でも思ってもみない『欲』まで容赦なく引き摺り出されそうで——怖い。

そんな存在を目の当たりにしたのは、リキが初めてであった。

アレクが……いや、『アトス』の連中が、ある時期まで一様にリキと距離を置きたがったのは。おそらく、それを自覚して自戒したのだろう。

誰だって、自分が一番可愛い。踏み込んでなお自制を保てる根性と度胸がないのなら、傍観者に徹するしかない。

半ば自嘲《じちょう》まじりにそれを実感したのは、アレク一人ではあるまい。

そこらへんの微妙に屈折した心情を、いきなりスッパ抜くように、

「アレク。君は、誰にも懐かない獣を鎖に繋《つな》いでも手懐けてみたいと思うのは、万国共通の男としての永遠の業《ロマン》だと思うか？」

カッツェがそれを口にしたとき。アレクは、さすがに一瞬——目を瞠った。

もしかして。

それは。

リキの相棒を務める上での、自分に対するある種の牽制《けんせい》だったりするのだろうか——と。つい、深読みをしたくなった。

「まぁ、いつの時代でも、支配欲っていうのは、男の本望というより身に染みついた本性《さが》なんでしょうけど。でも、俺だったら……。たとえ、それがどんなに魅力的な生き物でも、咬《か》みつくとわかっている猛獣は遠目に眺めるだけにしておいて、あえて手を出したいとは思いません

が？」

カッツェにしたところで、そんな当たり障りのない返答を期待していたわけではないだろうが。それは、紛れもないアレクの本音でもあった。

カッツェが将来を見据えて、リキを自分の片腕に――と見込んでいるのであれば、なおさらだ。それどころか、断れるものならば、相棒の話もなかったことにしてしまいたいくらいだった。

アレクの前身を知るかつての仲間が今のアレクを見たら、きっと、負け犬の根性なし呼ばわりをして嘆くかもしれないが。アレク自身は『アトス』と呼ばれる今の境遇になんら不満はない。

自分が自分であることの自尊心さえあれば、踏み締めた足の位置で周囲の価値観がどれほど変わろうとも、それはそれでかまわない。そう信じていた。

だからこそ、アレクは、いまだにカッツェの真意がつかめない。

あのとき。

最後の最後、カッツェはたいそうな爆弾発言を口にしてくれたのだ。

「アレク。周りが何を、リキがどう思っているのかは知らないが。俺は、リキが大化けすることを望んではいない」

「それは……つまり、どういう……」

「あれは、与えられた試練を力でねじ伏せて次のステップを駆け上がっていくタイプだ。出る杭《くい》は打たれるのはしょうがないが、できれば、そこそこ……でいい」

カッツェの言葉は、今の今まで、アレクが頭に描いていたことを根底から覆すほどの威力があった。思わず、居住まいを正して、

「ボスは――将来を見据えてリキを鍛えたいわけじゃ……ないんですか？」

それを言わずにはいられないほどに。

すると。珍しくも、カッツェはわずかに片頬を歪めた。

「あれが目端のききすぎただけのガキだったら、俺も、叩いて叩きまくって、君にびっちり鍛えてほしいところだがな。リキの場合、そこまで大化けすると、正直言って……あとの揺り返しが怖い」

それはいったい、どういう謎かけなのだろう――と。アレクは思った。

「だから。これ以上あれが跳ねすぎないように、その引き綱役を君に頼みたい」

スラムというドン底から引き上げてリキをマーケットの中で自由に泳がせても、それ以上の頭角は望まない。

そのための重石《おもし》になってくれと言われているようで、アレクは、さすがに言葉に詰まってしまったのだった。


そして。

――今。

ゆったりとした足取りでカーゴ・シップへと向かいながら、アレクは。ほんのわずか先を行くリキの背中を、サングラス越しに凝視する。

リキの眼の前でサングラスを取りたくても取れなくなってしまったのは、あの日――からだ。

アレクは精神感応者としても癒療者としても、それほど優れた能力を持っているわけではない。

と、いうか。アレクの場合、カリン星人としては能力のベクトルがかなり異質であったのだ。

異端――であると言ってもいい。

なぜなら。アレクの感応力は『人』ではなく、機械――それもコンピューターに代表される『電脳機器』において遺憾《いかん》なく発揮されたからである。

それゆえ。アレクはカーゴ・シップを自在に操る『運び屋』であると同時に、マーケットの中でも屈指の『ハッカー』でもあった。

だから。

あの日。

カリン星人としての特性をまったく知らないらしいリキにサングラスを取れと言われて、確かに驚きはしたが、頑《かたく》なに拒絶しようとも思わなかった。アレクにとってのサングラスは、無用なトラブルを避けるための一種のデモンストレーションに過ぎなかったからだ。

リキとことさらに親密になりたいとまでは思わなかったが、相棒としての信頼関係は築きたいとも思っていたし。

ただ、リキがあまりに真剣な顔つきをしていたものだから、ちょっとした悪戯心《いたずらごころ》が起きてしまっただけで。

なのに。

あのとき。

アレクは感応しないはずの『人《リキ》』に感応してしまった。

いや——それどころか。リキの『記憶』に引き摺られそうになってしまった。

『真紅の双眸』

『痩《や》せ細った少年』

『病室のベッド』

そして。聴こえるはずのない、掠れた嗚咽《つぶやき》までが頭の芯をゆるゆると震わせていった。

無機質だった感応世界に、いきなり生々しい感情があふれ返る灼熱《しゃくねつ》感。

瞬きもせず自分を凝視するリキの、大きく見開かれた黒瞳が——痛かった。

絡み合った視線に囚《とら》われて視界がキリキリ引き絞られていくような錯覚に、アレクは、らしくもなく動転してしまったのだ。

絡みついたリキの視線を断ち切るようにぎくしゃくと顔を背け、震える手でサングラスをかけて視界がいつもの色に染まったとき。アレクは。バクバクと鳴り止まない鼓動を全身で聴きながら、見慣れた日常に戻ってこられたその安堵《あんど》感に、ヒリついた唇を何度も舐《な》めた。

それは、思いもせぬ失態だった。

予想外の醜態だった。

そして。今まで感じたことのない——戦慄《おののき》だった。

そうやって。自分のアイデンティティーを必死に掻き集めて、チロチロと視線を流してリキを窺《うかが》うと。

リキは。半ば放心したように、視線を宙に泳がせていた。潤んだ双眸を拭《ぬぐ》うでもなく、いまだかつて見たこともないような幼い顔つきで。

だから。

アレクは……。

奇妙な居心地悪さに苛《さいな》まれながらもその場から一歩も動けず、それっきり——声もかけられなかったのだ。

あれ以後。アレクは、サングラス越しにしかリキの前に立てない自分を意識する。

そして。

それは。

謀《はか》らずも、カッツェが意図したように、先走りぎみなリキの重石としての役割を十二分に果たす結果になった。ひっそりと洩らすため息の重さに、わずかな自嘲と自戒を込めながら……。

＊＊＊＊＊12

その日。

エリア－8『SASAN《ササン》』の第三地下ドームでは、オークションが開催される予定だった。

通常のオークションは、巨大なコンベンション・センターのあるエリア－3『MISTRAL PARK《ミストラル　パーク》』と決まっているが。今回はブラック・マーケット主催で一般公開《おもて》では扱えないような品揃《ぞろ》えが中心のシークレット・オークションということで、その準備段階から二十四時間体制で厳重なセキュリティーが敷かれており、関係者以外の出入りは厳しく制限されていた。

第五ターミナル、地下二十階。

閑散とした構内の中。惑星デルビアで買い付けた荷をカーゴごと所定のH－085格納庫へ運び入れると、リキは思わず天を仰いで、深々とため息を洩らした。

デルビアで荷を受け取るまではすこぶる順調だったスケジュールも、突然の磁気嵐に見舞われてスペースポートで三日間も足止めをくらい、大幅に狂ってしまった。

アレクと二人、プラズマ混じりに荒れ狂う天《そら》を見上げて、

「ウソ、だろぉ?」

「……なんてこった」

「こんなの、ありかよ?」

「……冗談でも、笑えないよな」

半ば呆然《ぼうぜん》とつぶやく台詞がやけに虚《むな》しかった。

思わぬ時間のロスが人為的ミスではなく、辺境域ではありがちな天災とくれば誰にも文句を言うわけにもいかず。リキたちは、天候が回復するのを苛々しながらひたすら待っていたのだった。

そのため。荷の搬入はオークション当日、しかも、タイムリミットも間際でぎりぎりのセーフ——という酷《ひど》い有り様だった。

それだって。今回の会場が観光客専用のエアポートを完備している『ササン』でなければ、今頃どうなっていたかわからない。

(…ったく。間に合わなかったら、どうしようかと思ったぜ)

シークレット・オークションという一大イベント絡みということもあったが。こんな切羽詰まった状況に追いつめられたのは、リキにとっても初めての経験《こと》で。何事も経験——が口癖の相棒《アレク》は、

「こんなときに焦ってもしょうがないからな」

お気楽に開き直っていたが。

何をしようにも、どうしようもなくて。ただ苛々と窓の外を睨《にら》んで時間を食い潰すだけ――そんな経験なら二度としたくないと思ってしまうリキだった。

とりあえず、あとの細々としたチェックはアレクに任せて。リキは、実質オークションの会場となるブースで最後の調整に追われているだろうカッツェに、携帯のヴィジ・フォンで報告を入れる。

カッツェは。さすがに疲れが隠せないリキに、開口一番、

『ご苦労だった』

一言、ねぎらうと。相変わらずのポーカーフェイスで、

『あとは好きにしていい。といっても、おまえたちに渡したパスじゃ会場には入れないからな。それを忘れるな』

用件だけを告げて、すぐにスイッチを切ってしまった。

横から、あれこれ口をはさむ隙《すき》もない。

どうせなら、この際、シークレット・オークションを覗いてみたいと思っていたリキは。あっけなくその望みを断たれて、思わず舌打ちを漏らす。

ミストラルパークで開催される通常のオークションと、何が、どう違うのか。その興味は尽きなかったが、今のところ、下っ端の運び屋には過ぎたる望みなのだろう。

(まっ、しょうがねーか)

だからといって。別に、焦る必要もない。

(これから先、チャンスはいくらだってあるしな)

とにもかくにも、これでようやく、リキの仕事は終わったことになる。

何にせよ、きっちり仕事をやり遂げた安堵感は大きい。

それでも。

リキの顔が今ひとつ冴えなかったのは。予期せぬ天候不順で大幅にスケジュールが狂い、ヤキモキさせられた旅の疲れがここに来て一気にどっと出た——からではない。

このところ、任される仕事といえば辺境巡りの簡単な輸送《トランジット》ばかりで、内心、リキは不満だった。

それを愚痴ると、アレクは、

「そういう口を叩くのは、十年早い。下っ端は、何でも地道にこつこつと……。それが基本中の基本だろうが」

バッサリ、切って捨てるが。リキは、いいかげん辺境巡りのローテーションから抜けたくてたまらなかった。

貨物艇《カーゴ・シップ》で決められたルートを寄港し、荷を回収して運ぶ。そんな退屈なルーチン・ワークならば『メジスト』で充分ではないのか。

(俺……なんか、ドジでもやらかしたのか?)

思わず、そんなふうに首を傾《かし》げてみたくなるほどに、このところのリキとアレクのコンビは辺境づいていた。

おかげで。ガイとの仲もますます疎遠になる一方だった。

確かに。スラムという閉塞《へいそく》した空間しか知らなかったリキにとって、貨物艇に乗って宇宙空間を旅するという感動と興奮は筆舌に尽くしがたいものがあった。

見知らぬ惑星で様々な人種と出逢い、耳慣れぬ言葉を聴き、寄港する街のすべてが物珍しさにあふれていた。

だが。そんな浮かれた気分も最初のうちだけで、アレクが、

「おまえって、ホント、可愛げがないんだか、意外な大物なんだか……。普通はもっと、こう……神経が昂《たか》ぶって気分が浮ついて仕事も手に付かない——てのが、下っ端の正しい在り方なんだけどなぁ」

冗談まじりに呆れ返ってしまうほどには、すぐに馴染んでしまった。

生活《じんせい》環境が激変するという意味では『ガーディアン』に連れてこられたときと同じだが、あのときとは年齢《とし》も、心構えも、目的意識もまるで違う。

だから——だろうか。

ひとつをこなすと、次が欲しくなる。

抑圧されていた分、足枷《あしかせ》がなくなって箍《たが》が外れてしまったのか。

それとも。これからは、時間さえも無駄にしたくないという思いが強すぎるのか。

アレクには、

「ガッつくなよ。一度に何もかも詰め込みすぎたって、ロクなことにならない。それなりに適

当。それが一番だって」

　真顔で諭されてしまった。

「そのうち、嫌でも、全力で突っ走らなくちゃならないときが来るんだから。今からそんなんじゃあ、いざってとき、もたねーぞ」

　アレクの言いたいことは、よくわかる。

　今はまだ、先走る気持ちを抑えて経験を積むことこそが大切なのだ。

　それでも。時間ばかり喰って大した面白味もないトランスポーターよりも、緊張感のある仕事《キャブ》をやりたい。

　別に。『バイソン』時代のささくれた熱情を懐かしむわけではないが、身に染みついたものはやはり、どこかで疼いているのかもしれない。

　そんなことをつらつらと考えていると。不意に、背後から肩を叩かれた。

「リキ。待たせたな。すっかり遅くなっちまったけど、メシでも食おう」

　とたん。思い出したようにキュルキュルと、腹の虫が鳴った。

　そういえば。エア・ポートからここへ来るまでは時間に追われ、携帯食《ゼリー》しか口にしていない。

　何がなんでも、時間内に荷を搬入する。

　そればかりを思って、気持ちが張り詰めているときには気が付かなかったが。空腹を自覚してしまえば、それなりの疲労感も増した。

　それは、アレクも同様らしく。日頃はお気楽主義のアレクの口も、

「さすがに、ゲート前ダッシュはきつかったよな」

今だけは、げっそりと重そうだった。

何もかもが終わってしまうと。肉体的《からだ》よりも、精神的にひどく疲れたような気がした。

荷を全部運び込んで空になった作業車《リフト》に乗り込み、二人は、今はひっそりと静まり返った構内の搬入口《エレベーター》へと向かう。

(はぁぁ……。メシ食ったら、とりあえず爆睡……かな)

だが。ここまで来ると、スラムに戻ってガイのベッドに転がり込むことすら億劫《おっくう》になってしまう。

ダラリと手足を伸ばし、リキはけだるげに深く背もたれてぼんやりと視線を逸《そ》らした。その視界の端を人影が掠めて。リキは、なにげに視線を戻す。

自分たちが最後の最後で、もう誰もいないと思っていたのだが。どうやら、そうでもないらしい。

男が、三人。

(へぇー、俺たちのほかにも、ギリギリで荷を搬入した運の悪い奴がいるのか?)

——が。

それとも、違う……ようだった。

『H-010』と表示された扉の前にあるのが自分たちと同じ作業車ではなく、小綺麗で洒落《しゃれ》たカートであるところを見ると。おそらく、搬入されてきた荷物の所有者《オーナー》サイドの関係者なのかもしれない。

(きっと、あの一番背の高い奴がお偉いさんなんだろうな)

遠目にも特注《オーダーメイド》であろうと思わせる紫紺《ダーク・ブルー》の上下でまとめた服は、じきに開かれるオークションのための正装なのだろうが。すっきりと鍛え上げられたようなバランスのよい後ろ姿だけでも充分、ある種の威厳を感じさせた。

人間、存在感《はな》のある者は、どこにいてもすぐにわかる――と言うが。さすがに、背中だけでそれを見せつける男は稀《まれ》だろう。

時代の寵児《ちょうじ》であるかどうかは別にして、よくも悪くも、

『選ばれた人間』

――というものは、確かに存在する。

運び屋として様々な人間ウォッチングに恵まれた今、リキにも、それが単なる言葉だけのものではないことがよくわかった。

そんなリキの予想を裏切ることなく、残りの男二人は、背中しか見えないその男にきっちり深々と頭を下げた。

(おぉ……スゲー。よっぽどの大物なんだな)

もしかしたら。あの男自身がオーナーなのかもしれない。

それにしたって、わざわざこんなところにまで出張ってくるところを見ると、よほど値の張る物なのだろう。

そして。用件はそれで済んだとばかりに、その長身の男が踵《きびす》を返す。

——瞬間。

疲労と空腹にだらけきったリキの身体が、ヒクリッ…と硬直した。

（——まさ…か……）

驚愕《きょうがく》に見開かれた双眸《め》が、一人でカートに乗り込む男の顔に釘付《くぎづ》けになる。

この数ヵ月。忘れようにも忘れられなかった顔が、そこにあった。

頭髪は、ごく普通のブラウンの短髪だったが。紫紺の服よりも更に濃いアイシェード・グラスの下から覗く冴えた美貌を、リキが見間違うはずがなかった。

『なぜ？』

——でも。

『どうして？』

——でもなく。

身体の芯から一気に喉元《のどもと》まで迫《せ》り上がってきたのは、なんとも形容しがたい、灼けるような激情だった。

（あ…の、ヤロー…ッ）

奥歯でその言葉を軋らせて、リキは、アレクの腕をつかんだ。

「なんだ？　どうした？」

「——止めろ」

「……えッ？」

「止めろ。ちょっと、用ができた」

「用…って？」

訝《いぶか》しげに眉《まゆ》をひそめるアレクにはかまわず、リキは、作業車から飛び降りた。

「おいッ。リキッ」

思わず声高に呼び止めるアレクの声も、それっきり振り返りもせずに猛然と走り出したリキの足を止めることはできなかった。

リキは走る。

はるか先を行くカートを見失うまいと。ただ、前だけを見据えて。

カートに追いついて。それから、どうする？——ということまでは頭になかった。

そんなことを考えるより先に、身体が動いてしまっていた。

ただ……。

とにかくッ。

名前も知らない、自分をズタボロに嬲るだけ嬲って、その挙げ句『ペット硬貨』を投げて寄越しておもうさま横っ面を張り倒してくれた、あの男の後を追わずにはいられなかったのだ。

それでも。

強いて、その理由をこじつけるのならば。

タナグラのブロンディーが変装をしてまで、なぜブラック・マーケットのオークションに現われ。いったい、どこへ行こうとしているのか。

それを知りたかったのかもしれない。

カートは右に折れ、左角を曲がり。カーゴの搬入口とはまったく違う経路をたどって、そのドアの前で止まった。

もちろん、リキは。こんなところに、こういう出入り口があることすら知らなかった。

男はそこでカートを降り、胸のポケットからカードを取り出して認識コードのスロットに通すと、難なくドアを潜って中に消えた。

リキは舌打ちをする。

そのままドアまで一気に駆け寄ったものの、半端でなく強化されたセキュリティー体制の中、自分が持っているパスカードでこのドアが開くのかどうか。まるで、自信がなかった。

万が一、警報システムが作動したら——どうする？

それで、瞬時に拘束されてしまったら？

せっかくつかんだ仕事も何もかも失ってしまったら——どうなる？

だが。このままじっとしてもいられなくて。

リキは、おもいきりよくカードをスロットに差し込んだ。

——と。

ドアは、あっけなく開いた。リキの杞憂《きゆう》を嘲笑《あざわら》うかのように。

リキは、ドアがゆったりと開くのももどかしげに身体を捻《ねじ》り込ませる。

　このまま男の姿を見失ってしまうかもしれない——と不安になったが。ドアの先がまっすぐ伸びた通路になっていることが幸いした。見覚えのある男の後ろ姿を視界の先に捉《とら》えたときには、思わず、ホッ…と安堵のため息が洩れた。

　しなやかな足取りで、男が行き。

　その背を見失うまいと、リキが足早に続く。

　けれども。

　男の後ろ姿を追うことにのみ神経を尖らせていたリキは。足下《ゆか》の色が少しずつ変わっていくことも、背後で音もなく通路の遮断壁《シャッター》が下り、そこから横の壁が開いて別の通路へとすり替わっていくことなど、まるで気付きもしなかった。

　そうやって、どのくらい歩いたのか。

　乱れのない足取りで男が右の角を曲がった。

　——とたん。それっきり、リキの視界から消え失せてしまった。

（え……？）

　不意の喪失感に、リキは、しばし呆然と立ち竦む。

（なんだ？）

（……どうして？）

　今の今までキリキリに張り詰めていたモノが、突然、プツリと切れてしまったような痛みすら感じて。

ぎくしゃくとあたりを見回すまでもなく。視線の先には、黒ずんだ鋼鉄のように重々しいドアがひとつあるだけだった。

リキは瞬きもせず、凝視する。

そこ以外に、男の行き先があるはずもないのに。なぜか、足が進まない。

鋼鉄のドアが、その特異な存在感でもってリキの行く手を阻んでいるのではない。

まるで、何かが……。そう、誰かが、

『行くなッ！』

——と。リキの腕を引いているかのようだった。

こういう感覚には、覚えがある。

いや……。馴染みだった、というべきか。

スラムで『バイソン』を率いていたときに、何度も感じたことだった。

リキにしかわからない、一種の『予感』めいたもの。

一瞬の閃《ひらめ》き——というのではなく。

明確な指針、というわけでもない。

その感覚も、いつも感じるというものではなく。不意に、突然来る——のだ。

今のように、いきなり腕を引かれるように感じることもあれば。首筋が、妙にチリチリするだけのときもある。

それを言葉で説明することは難しくて、リキは、ガイにすら語ったことはない。

もともと、そういう素養があったわけではない。——と、思う。

それでも。

リキは。目に見えるモノだけがすべてではないことを知っている。

『ガーディアン』時代。同じブロックの中に、一歳年下の少年がいた。

彼は、身体にいくつもの疾患を抱える虚弱体質の自閉症児で。実年齢よりは、ずいぶんと幼く見えた。

だから、だろうか。現実には見えないモノが視え、ほかの子どもたちには聞き取れない声も聴こえた——らしい。

マザーたち大人は、彼は病気のせいで幻覚を視たり聴いたりするのだと言ったが。それだけでは済まない不可思議な経験を、リキは、身をもって知る羽目になった。

現実と妄想。

夢への階《きざはし》。

幻覚と幻惑の狭間《はざま》の、曖昧《あいまい》な日常。

時間の喪失。

そして。消えない——痛み。

今にして、思えば。リキのことを『お守り』と呼んで片時も離そうとしなかったアイレも、もしかしたら、何かが視えるタイプだったのかもしれない。

だから、きっと。スラムで唯一の『楽園』と呼ばれる『ガーディアン』には、何かがいるのだろう。

それが、子どものための守護者《ガーディアン・エンジェル》なのか。それとも、醜悪な魔物《ジン》なのか。それは、リキにもわからないが。

彼に関連したある事件以来、その手の感覚が実感として認識できるようになった。……ように思うのは、決してただの錯覚ではないだろう。

たぶん。彼が、リキの中にある『何か』のスイッチをこじ開けてしまったのかもしれない。だが、それを口にすると、ガイが過保護なまでに心配するので。リキは誰にも、何も言わずにいただけなのだ。

けれども……。

『ガーディアン』からスラムに出てきて。そして、運び屋をやるようになったときも。リキは、この手の勘に逆らったことはただの一度もなかった。

今。リキは初めて、そんな自分の弱腰を振り切るように、まっすぐドアを見つめた。

ここまで来て、今更、何をためらっているのか――と。

迷えば迷うほど、男の背中は遠くなる。

だが。そのドアは、

(けど、これって……ほんとに開くのかよ?)

そう勘繰ってしまいたくなるほどの、いかにも古めかしい造りのドアだった。

頭上高く、双頭の蛇が鎌首《かまくび》をもたげてリキを睨んでいる。目に大粒のルビーを埋め込んだかのような、黄金の蛇だ。

しかも。そのドアにはドアノブがひとつ付いているだけで、入室を管理確認するためのカード照合《チェック》のスリットすらない。

もしかして、それは。より厳密な眼紋照合のような形で、黄金の蛇がその機能を肩代わりしているのだろうか。つい、そんなふうにも思えて。

（まさか、蛇の目から、いきなりレーザー光線……なんてことはねーよな？）

先ほどから嫌になるほど感じるあの感覚は、もしかして、それだったりするのだろうか……と。

が――結局。不安よりも好奇心……いや、引くに退《ひ》けない決意の方が勝った。

ここで退けば、この先、ずっとそれを後悔し続けるような気がした。

退いて、悔いを残すのか。

それとも。

あのとき、やめておけばよかったと。突き進んだことを、悔やむことになるのか。

どのみち、どちらを選んでも後悔することに変わりがないのなら。どんな結果になろうとも、やってしまってから悔やむ方がマシのような気がした。

リキはひとつ大きく息をつくと、思いきりよくノブを回して――引いた。

その瞬間。

男と初めて出逢ったあのミダス《よ る》のことが、ふと、脳裏を掠め走った。

あのときも、リキは。意を決して『ミノス』のドアノブを回したのだった。今と同じように。

そして。容赦なくプライドを踏みにじられた。

では——この賭《か》けは？

束の間。わずかに頭をよぎったその疑念も、その中に一歩足を踏み入れた——瞬間。水泡《アワ》のように掻き消えた。

そこは、不思議に蒼《あお》く沈んだ闇《やみ》だった。

天もなく。

地もなく。

見渡す限り果てもないような、蒼ざめた沈黙の世界であった。

そこに星の瞬きがない分、夜の闇《そら》よりも、はるかに救いがたい孤独に満ちた異次元スポットのようにも思えた。

（な…んだ——ここ、は………）

しばし放心の態で、リキはそこに立ちつくしていた。

男の姿は、影も形もない。

あの男は、本当にここに入っていったのだろうか。

と——そのとき。

視界の角《すみ》で、不意に何かが跳ねたような気がして。リキは、ハッ…と我に返った。

だが。あわててそこへ視線をやっても、蒼ざめた深淵《ちんもく》には揺らぐ影すらなかった。

「──気の、せい…か」

ひとりごちて、リキは息を呑んだ。

それでも。鼓動が一気に昂ぶるのを自覚せずにはいられない。

(──らしくねーって……)

先ほどのあの感覚が、いまだに尾を引いているのだろうか。

いっそ思いきりよく飛び込んだはずなのに、ここまで来てもまだナーバスになっている自分を嘲笑うように、リキは唇の端をわずかに吊り上げた。

(なぁに、ビビッてんだよ。こんなザマじゃあ、また、あの野郎にバカにされるだけじゃねーか)

そして。ねっとりとまとわりついた不快なモノをねじ切るように軽く頭を振って、足元に目を落とした。

──瞬間。

リキは、その視線が凍りつくのを感じた。

滄溟《そうめい》の暗き淵《ふち》を思わせる足の真下で、異相がリキを見上げていた。

瞳孔のない、いや──眼窩《がんか》に黄金を流しただけのどんよりとした輝きが、まばたきもせず、くいいるようにリキを見つめている。

錯覚ではない。

肉眼としてきちんと機能しているのか、いないのか。そんなことはまるで見当もつかない金瞳は、それでも確かに、リキを視ていた。

そのとたん。

『ドクンッ！』

――と。頭の芯を掻き乱すように、ひとつ大きく鼓動が跳ねた。

目を逸らしたいのに、できない。まるで、絡み合った視線が互いをその場に縫いつけてしまったかのように。

風もないのにユラユラと深緑の髪がなびき、その肌の色は浮き立つように白かった。

いや。そのゾクリとくるような蒼白さが、身体中を被《おお》う銀鱗《ぎんりん》だと知ったとき。リキは、この部屋が巨大な水槽になっているのだと、ようやく気付いた。

人であって人間《ひと》でない者が、そこにいた。

半人半魚の水棲人《キメラ》。

かといって。眼下のそれを、伝説の『人魚《ファーラ》』と呼んで愛《め》でるには。耳まで裂けた口からのぞく鋭歯といい、水ヒレのついた鉤爪《かぎづめ》のように伸びた三本指といい、その姿はあまりに異質《グロテスク》すぎて。リキには、どうにも生理的に受け入れがたかった。

引き攣ったままの唇は何の言葉も吐き出せず。

不様に硬直した足は、小刻みに震えがきた。

額にも……掌《てのひら》にも、冷や汗がじっとり滲《にじ》んでいる。

それでも。ようやく、息が詰まるような重苦しい鎖が断ち切れると。リキは、前へつんのめるようにして駆け出した。

が——しかし。

いくら目を凝らしても、出口らしきものはどこにも見当たらなかった。

「——ッ！」

(なんで？)

嘘——だ。

(どうしてッ！)

ガンガンと容赦なくこめかみを蹴りつけるモノが自分の鼓動だと知って、リキの唇はますます色を失って蒼ざめる。

そこで右往左往しているうちに、人ならざる者が、透明の壁越しにユラリと追いすがってきた。まるで、獲物を追い求めるように。

そうして。

リキは。

入ってきたはずのドアさえ、いつの間にか消え失せている事実に。身体の芯まで凍りつくような気がしてその場に呆然と立ち竦んだ。

と——そのとき。

どこからともなく、低いくぐもった笑い声が響いた。

「…いッ……」

いきなり心臓を鷲掴《わしづか》みにされたような錯覚《ショック》に、下半身がピクピク痙攣《けいれん》を起こす。

カツン。

カツン……。

カツン…………。

弾《はじ》け上がったリキの鼓動を突き刺すように。

——踏みにじるように。

靴音《それ》は、ゆったりと近付いてくる。

そうやって、リキの喉元をきつく絞め上げて蒼ざめた闇をさざめかせるモノが、めいっぱい見開かれたリキの目の中で、不意に、冷たく嫣然《えんぜん》と笑った。

「……ッ！」

声にならない驚愕と。

理由《わけ》のわからない——安堵感。

そのふたつが綯《な》い交ぜになった激情に頭の芯までグラグラ揺さぶられて、声にならない息《こえ》を呑んだ。

——瞬間。

リキの腰がカクンと落ちた。

すると。まるで、それが合図でもあったかのように、室内に柔らかな灯《ひ》が満ちた。

とたん。

リキに追いすがってきたモノは、その明るさに拒絶反応を起こしたように尾を跳ね上げて、素早くどこかに消え失せた。

「手を、貸してやろうか?」

忍び笑いを噛み殺すように、男が言った。忘れようにも忘れられない、しっとりと深みのある、あの独特のクール・ボイスで。

だが。呪《のろ》いの毒を込めたようなリキの眼光のきつさに、今度は、あからさまにクックッと喉を震わせた。

「そうだったな。人に借りを作るのは大嫌いだったな」

(…の、ヤロぉ……)

口いっぱいにあふれ返る苦汁に奥歯を軋らせながら、リキは、四つん這《ば》いになって立ち上がろうとした。

(……くっ…そぉぉ……)

よりにもよって。この男の目の前でこんな醜態を曝さなければならない恥辱《ちじょく》に、喉が灼けた。

不様の極みに、頭の血管もブチ切れてしまいそうだった。

が——そうでもしなければ、まったく力が入らなかったのだ。

それで、どうにかこうにか立ち上がっても。膝《ひざ》の震えは容易に治まらなかった。

「奇遇だな。こんなところで、また、おまえに逢えるとは思わなかった」

露骨に白々しい台詞を口にして、男は、片頬で冷笑する。

「どうした？　さすがのおまえも、刺激が強すぎて声も出ないか？」

「——なん…だ、よ。あれッ……」

変なふうに語尾が弾んで跳ね上がっても、ここまで来ればもう、恥の搔き捨てだった。

嬲られ。

辱《はずか》しめられて。

恥も、弱みも、何もかも曝け出して。

だったら、あとはもう、開き直るしかなかった。

「実験用の生体《サンプル》だ。もっとも、あれの改良型を軍用化するには、まだ時間はかかりそうだがな」

「ンなこと……ペラペラしゃべっちまっても、いいのかよ？　俺が外でバラしたら、連邦のお偉方が目ぇ剝くぜ」

そんな強がりも、男は、

「ほぉ、立ち直りが早いな。とても、失禁寸前までいった男の台詞とは思えんな」

歯牙にもかけず。リキの鼻先でピシャリと叩き落とす。

その屈辱にリキが視線を尖らせてキリキリと睨むと、

「そんな、今にも咬みつきそうな目で睨むな。また、啼《な》かせてみたくなる」

男の冷笑はますます深くなった。いいように弄ばれているだけなのだと思うと、先ほどとはまた違った意味で、リキは頭の芯まで灼けつくような気がした。

「そういう鼻っ柱の強いところは、相変わらずか」

「——出口は？」

「ない」

リキは、カッ…と双眸を見開いた。

あの夜。

ミノスで一方的に嬲られて鬱屈《うっくつ》したモノが、一気にスパークする。

——が。リキは煮えたぎる憤怒を無理やり呑み込んだ。ここでブチ切れても、男に弄ばれるだけだと思ったからだ。

「俺は、こんなところで、あんたと冗談やり合う気なんかねーよ。出口——どこだよ？」

「ここでいくら凄んでみせても、状況は何も変わらない。そうだろ？　リキ」

男の口から、思わせぶりに名前を呼ばれ、リキは、ギョッ…とした。

（な…んで、こいつが、俺の名前を……）

そんなリキの不審を見透かすように、男は、静かな口調で言い放った。

「カッツェは、教えてくれなかったのか？　度を過ぎた好奇心は身を滅ぼすと……」

（カッ…ツェ？）

リキは、昂ぶり上がったモノが一瞬にして凍りつくのを意識した。

（——な…んで？）

どうして。

——なぜ。

男の口から『カッツェ』の名前まで、聞かされなければならないのだろう。

「もっとも。あれの場合。自慢の顔ひとつで済んで運がよかったがな」

リキは、更にギョッ…とする。カッツェの頬の傷痕——それが、まさかこの男に繋がっていようとは予想もできないことだった。

「スラムの雑種にしては、あれは、頭のキレが半端じゃなかった。程々にわたしを楽しませてくれたからな。生体実験のラボに放り込んで細切れにするより、ほかに使い道があったというわけだ。さて——おまえは、どうかな?」

傲慢と言うには過ぎるほどの酷薄な口振りに、リキは、

「——あんた……誰、だよ?」

知らず、唇が引き攣る思いがした。

「イアソン・ミンク。何でも人並み以上が金看板の、ただのブロンディーさ」

(ウソをつけッ!)

そう叫び出したくなるのを咬み殺して、リキは、ゆっくり後ずさった。

こいつは——なんだ?

こいつは——誰だ?

こんなのが、ただのブロンディーであるものかッ。

(ヤバイぞ)

(マズイぞ)

(最悪じゃねーかッ)

頭の中で、その言葉がドス黒い渦を巻いていく。

一歩……。

二歩……。

だが。三歩目はなかった。

強引に腕をつかまれ。そのまま力任せにグイと引き寄せられて、リキは、顔面どころか全身を硬直させた。

イアソンは、そんなリキの顎《あご》をつかんで強引に引き上げると、

「ちょっと見ないうちに、なかなかの面構えになったな」

しっかりと目線を固定した。

「裏《マーケット》での通り名は『黒髪《ダーク》のリキ』だそうだが……。おまえを見ていると、昔の傷が疼いてやりきれなくなるとは、カッツェも、まだまだ甘いな」

その台詞を胸の内で嚙み締めるように反芻《はんすう》して。リキは、絶句する。

閉塞感に喘《あえ》ぐしかないスラムの雑種に、運び屋という、突然、降って湧いたような幸運《ラッキー・チャンス》。

もしも。

それが。

ただの、偶然の巡り合わせではなかったとしたら?

もしかして、自分は、カッツェにハメられたのではないか——と思うと。ヒヤリとしたものが背筋を這い上がるような悪寒を覚えずにはいられなかった。

だが。

いったい、何のために?

スラム上がりの闇ブローカーであるカッツェとタナグラのブロンディーであるイアソンが、いったい、どういう関係で繫がっているのか……。どう考えても、リキにはわからない。

仕組まれた——罠《わな》?

なぜ?

喧嘩を叩きつけて挑発したのは、確かにリキだが。一方的に嬲られて踏みにじられたのは、自分の方だ。

それが、どうして?

自分が知らないところで、いったい、何が起こっているのか。

それを思うと。憤怒が煮えたぎるのを通り越して、今の今まで、リキを支えてきたものまでがグラグラと崩れ去るような気がして……。

束の間。リキは、目の前が真っ暗になった。

「俺を——どう…しようってんだよ?」

「おまえは……どうしてほしいんだ?」

見開いた視界の中で、イアソンが冷たく嗤《わら》う。

そのとき、リキは。寒気にも似たものが、背筋をゆっくり這い上がるのを意識しないではいられなかった。

＊＊＊＊＊13

ここが、どこなのか。

リキには、まるで見当もつかなかった。

窓もない、四方をアイボリーの壁で囲まれた部屋。

あるのは、簡易ベッドと一組の椅子《いす》とテーブルだけ。唯一の出入り口であるらしいドアは外からロックされているらしく、叩いても、蹴っても、ビクともしない。

まるで、小綺麗なだけの牢獄のようであった。

蒼ざめた深海を思わせる場所から、ここに、強制的に連れてこられた。――らしい。

と、いうのも。あそこで、最後の悪足掻きと知りつつ、無謀を承知でイアソンに殴りかかり。あっさり鳩尾《みぞおち》に強烈な一発を喰らって、リキの意識はそれっきり、ブラック・アウトしてしまった。

そして。

気が付いたら。

件《くだん》のベッドの上で、ぐったり伸びていたというわけだ。

そのとき。ポケットの中の所持品はすべて、没収されてしまったらしい。

カッツェから渡されたIDも。

例のコインが付いたキーホルダーも。

万が一のときのために、ブーツに仕込んだ折りたたみ万能ナイフも。

――何もかもだ。

まるで、身ぐるみ剝がれて、身体ひとつでここに押し込められているようで落ち着かない。

――どころか、気分はまさに最低最悪だった。

(いったい――何を考えてんだよ、あの野郎はッ)

自分をこんなわけのわからないところに押し込めて、いったい、どうするつもりなのか。イアソンの真意がどこにあるのか、まったく読めない。

考えるべきことは、ほかにもあるはずなのに。初めに何を考えればいいのか――それすらも、わからなくて。

(くっそォォ………)

ぎりぎり奥歯を噛み締めて、リキは。おもうさま椅子を蹴り飛ばした。


エリア－8『SASAN《ササン》』。

第三ドーム・タワー。

何のトラブルもなく平穏に、そして、盛大に終了したシークレット・オークションの余韻《よいん》に浸るでもなく。イアソン・ミンクはいつものように、最上階の執務室で優雅に寛《くつろ》いでいた。身体が沈むようなソファーにゆったり背もたれ、長い足を無造作に組んで、壁に組み込まれたスクリーン・パネルを見ていた。

その中に、苛立たしそうに唇を歪めたリキがいる。

手元のリモコンでスイッチを切り替えると、間髪を置かず、リキの表情があますところなくクローズアップされた。

何の手入れもされていないだろう不揃いの黒髪は、それでも、しっとり艶やかだ。対の黒曜石にも似た双眸は苛立たしさを隠しきれず。不機嫌に吊り上がった眦のきつさには、粗野な激情が貼りついている。

真一文字に食いしばった唇からは、ギリギリと、悔しげに奥歯を軋らせる音すら聞こえてきそうだった。

何の調教《コントロール》も教育《しつけ》もされていない、粗野で下品で、汚らしい野良猫。

だが。何の条件付けもされていない無垢《むく》な素体《そたい》であるがゆえに、横溢《おういつ》する生命《いのち》の活力《かがやき》は眩しいほどだった。

ダブル・リングの華々しいネオンの下で出逢ったときは。無知で傲慢、捌《は》け口のない激情を持て余しただけの、ただのクソガキだった。

媚びる術も知らず。

牙を剥き出しにして吠えることしか知らない。

──スラムの雑種。

あの場でポリスに突き出さずに見逃してやったのは、ただの気紛れだったが。一目でそれと知れる場所に連れ込んで、その上、身の程知らずにも挑発してきたガキの鼻っ柱をヘシ折ってやりたくなったのは、その場の成り行きにすぎない。

何の駆け引きもできずに居直るだけ居直って、相手がブロンディーであろうが決して目を逸らそうとはしないプライドの高さ。

だから。さんざん嬲って、捨て置いた。

去り際にアウロラ・コインを投げ与えたのは、ただの思いつきだった。

なかなかに歯応えのある余興だったが、所詮《しょせん》、余興は座興。押しつけられた口止め料の釣りにはペット硬貨が似合いだと思ったからだ。

ペット硬貨は市場での通貨価値のない『メダル』だが、アウロラ・コインにはそれ以上の付加価値がある。

下手なカードを掏摸《すり》盗《と》るよりも、そのコイン一枚の方が大金に化ける可能性もあるということだ。

果たして、その真の価値にスラムの雑種が気付くかどうか。

少しだけ、興味を引かれた。

それゆえ。カッツェに命じて、探らせておいた。スラムからアウロラ・コインが出てきたら、すぐに知らせるようにと。

だが。すぐにでも出てくると思っていたコインは——出てこなかった。

イアソンはわずかに失望し、そして、それ以上に関心を持った。名前も知らないスラムの雑種が、あのコインを換金しないでいる理由に。

同時に。粉微塵に自尊心を砕かれたガキが、その後どうしているのかも。

カッツェは。コインの件に関しては何も口をはさまずに、すんなりと指示に従ったが。さすがに、スラムの同胞——それも、まだ尻の青すぎるガキを自分の手足として使うことには難色を示した。

もちろん。カッツェの思惑がどうであれ、前言撤回する気など更々ないイアソンだったが。

使い物になるか——否か。

それはイアソンにとっては『賭け』ではなく、単なる『興味』でしかなかった。

(黒髪《ダーク》のリキ……か。なるほど。然《しか》るべき餌《えさ》を与えてやれば、野良猫もそれなりに化けてみせるというところか)

ここ数ヵ月で、見違えるほどの面構えになった。

もちろん。それは外見だけではなく、内封された資質の善し悪しにもよるのだろうが。

それでも。

(——だが。まだ、足りんな)

そう思えるほどには、興味を満たされたということなのかもしれない。

再びスイッチを切り替えると。スクリーンの中では、リキがおもうさま椅子を蹴飛ばしているところだった。

イアソンは、思わず口角を吊り上げた。

(それでこそ、調教し甲斐があると言うものだ)

すると。

いきなり、

「——おい。イアソン」

問い詰めるような声が背後から絡んだ。

「本気なのか？」

タナグラのエリートにしては珍しく、どこか野性味のある美貌を曇らせて、ラウール・アムが言った。

「選りにもよって、あんな最低最悪な雑種《クズ》に手を出すことはなかろう？　何の教育《しつけ》もされていない『雄』をエオスに持ち込むなんて、トラブルの種になるだけだぞ」

「それでも。気位《プライド》ばかり高くて、頭の悪いセックス・ドールよりはマシだろう。どうだ？　あの、ふてくされた態度は。粗野で、下品で、汚らしくて……。仕込み甲斐があるとは思わないか？　たまには毛色の変わったペットを飼ってみるのも、一興だろう？」

「そりゃあ、どんなモノを飼おうがおまえの勝手だが……。あんなのをペットにしたら、イアソン・ミンクの名前が泣くぞ」

「どうかな。調教次第では、けっこう面白いペットになるんじゃないかと思っているんだが……」

「自信たっぷりなのはかまわんが、もし、使い物にならなかったら、どうする?」

「そのときは……。ちょっと頭を弄《いじ》って、聞き分けの良いセックス・ドールにしてブラック・マーケットにでも流すさ。イアソン・ミンク所有のペットともなれば、それなりの付加価値も付くだろうしな。でなければ、来賓《ゲスト》専用の檻《おり》の中で飼い殺しにでもするか。使い道は、ほかにいくらでもある」

平然と言い放って、イアソンは再び、スクリーンへと目をやった。

スラムの雑種をペットにする。

その、気紛れにも似た思いつきが、やがて、ブロンディーとしてのプライドを揺るがすような呪楔《じゅせつ》になろうとは……。このとき、まったく思いもしないイアソンであった。

あとがき

こんにちは。

えー……いきなりこういう展開になってしまって（笑）。

ビックリ。

ドッキリッ。

ブッたまげ～～ッ！

驚かれた方が多いのではないでしょうか？——の『間《あい》の楔《くさび》』です。

諸々事情がありまして、長らく絶版になっていた（…たぶん）某社文庫版の一巻&二巻の合体バージョンをキャラ文庫で出していただけることになりました。ありがたや……ありがたや……。まさか、徳間さんで『楔』のあとがきを書くことになろうとは（笑）。人生、何が起こるかわかりません。以下、続刊——ということで。

もしかして。『楔』とは、お初な方もいらっしゃるかもしれませんが。ハイ、改めてヨロシクお願いいたします♡

いやぁ、これで心おきなく最終巻（大幅加筆修正込みで）まで突っ走れそうです。

今回、新装開店（笑）の『楔』では、イラストを長門《ながと》サイチさんにお願いいたしました。

もう、すっごく格好いいイアソン様と不遜《ふそん》なリキにクラクラしちゃいそうです。長門様、最終巻までヨロシクお付き合いくださいませ。

ところで。今回は、ご報告がもうひとつ。

な、な〜んと。楔ワールドが新たにアニメDVD化になることが決定いたしました！

最初、AICさんからそのお話を伺ったときの第一声は『エッ？　なんで今頃……。マジですか？』でしたが。ハハハ……。前作全二巻のOVAは自分的にもひとつの完成形だと思っていたので。あの当時は『JUNEって無謀なチャレンジャー』でしたが。今回は『AICさんって、すっごいギャンブラー』でしたね（笑）。

いや、でも、完全リメイクに燃えるAICさんの意気込みはバリバリに熱かったです。私も含めて、某ホテルのラウンジで『楔』を熱く語る一団の萌えオーラは傍迷惑にボーボーだったかもしれません（笑）。ケンメディアさんも加わった今では、その意気込みと情熱も更にメラメラです。語り出すと止まらないミーハー根性が熱く滾《たぎ》りまっす！

そういうわけで。前回のOVA制作スタッフそのままで、ニュー『楔』ワールドを鋭意制作中でございます。あ……もちろん吉原も脚本担当で参加させていただいてますので。アニメ『間の楔』に関しての詳細はケンメディアさんの公式HPをご覧くださいませ。

そういうわけで。吉原にとって、2009年は新たなチャレンジの年になりました。諸々、頑張りまーす♡

平成二十一年　三月

吉原理恵子

この本を読んでのご意見、ご感想を編集部までお寄せください。

《あて先》〒141-8202　東京都品川区上大崎3-1-1　徳間書店　キャラ編集部気付
「間の楔①」係

【読者アンケートフォーム】

QRコードより作品の感想・アンケートをお送り頂けます。

Chara公式サイト http://www.chara-info.net/

■初出一覧

間の楔……光風社出版刊(1990年)

※「間の楔①」は、光風社出版刊行のクリスタル文庫を底本としました。

間の楔①

【キャラ文庫】

2009年3月31日　初刷
2018年6月25日　5刷

著者　吉原理恵子
発行者　松下俊也
発行所　株式会社徳間書店
〒141-8202　東京都品川区上大崎3-1-1
電話048-451-5960(販売部)
03-5403-4348(編集部)
振替00140-0-44392

印刷・製本　図書印刷株式会社
カバー・口絵　近代美術株式会社
デザイン　海老原秀幸

定価はカバーに表記してあります。
本書の一部あるいは全部を無断で複写複製することは、法律で認められた場合を除き、著作権の侵害となります。
乱丁・落丁の場合はお取り替えいたします。

© RIEKO YOSHIHARA 2009

ISBN978-4-19-900517-6

キャラ文庫最新刊

好みじゃない恋人

洸

イラスト◆小山田あみ

同僚の八木《やぎ》と、誤解から身体を重ねてしまった香月《かづき》。本当は好きだけど言えない――。気持ちを隠したまま八木と寝る香月だが…。

オーナーシェフの内緒の道楽

神奈木 智

イラスト◆新藤まゆり

カリスマシェフの亮二《りょうじ》と暮らす大学生の旬《しゅん》。保護者でもある亮二に恋する旬だけど、だんだん想いを隠すのがつらくなってきて!?

間の楔①

吉原理恵子

イラスト◆長門サイチ

歓楽街のスラムを仕切るリキは、競り市《ペット・オークション》で特権階級のエリート人工体・金髪《ブロンディー》のイアソンと出逢う…。不朽の名作、待望の復刊!!

4月新刊のお知らせ

愁堂れな ［愛の夢(仮)］ cut／高久尚子

火崎 勇 ［それでもアナタの虜］ cut／司狼 亨

水壬楓子 ［シークレット・メロディ(仮)］ cut／羽根田実

お楽しみに♡

4月25日(土)発売予定

Iason Mink
「間の楔①」